FIBROMIALGIA SEM MISTÉRIO

CIP-BRASIL. CATALOGAÇÃO NA PUBLICAÇÃO
SINDICATO NACIONAL DOS EDITORES DE LIVROS, RJ

L433f
Martínez-Lavín, Manuel
Fibromialgia sem mistério: um guia para pacientes, familiares e médicos / Manuel Martínez-Lavín. - Tradução Lizandra M. Almeida - São Paulo : MG Editores, 2014.
184 p.

Inclui bibliografia
ISBN 978-85-7255-108-3

1. Síndrome de fadiga crônica. 2. Fibromialgia. I. Título.

14-13442 CDD: 616.0478
CDU: 616.039.31

FIBROMIALGIA SEM MISTÉRIO

Um guia para pacientes, familiares e médicos

Dr. Manuel Martínez-Lavín

MG EDITORES

Do original em língua espanhola
FIBROMIALGIA
Libro para pacientes, familiares y médicos

Editora executiva: **Soraia Bini Cury**
Assistente editorial: **Michelle Neris**
Tradução: **Lizandra M. Almeida**
Capa: **Alberto Mateus**
Projeto gráfico e diagramação: **Crayon Editorial**

1ª reimpressão, 2024

Este livro não pretende substituir qualquer tratamento médico.
Quando houver necessidade, procure a orientação de
um profissional especializado.

MG Editores
Departamento editorial
Rua Itapicuru, 613 – 7º andar
05006-000 – São Paulo – SP
Fone: (11) 3872-3322
http://www.mgeditores.com.br
e-mail:mg@mgeditores.com.br

Atendimento ao consumidor
Summus Editorial
Fone: (11) 3865-9890

Vendas por atacado
Fone: (11) 3873-8638
e-mail: vendas@summus.com.br

Impresso no Brasil

Sumário

A todas as pessoas que sofrem de fibromialgia, por sua luta diante da incompreensão. Espero que a leitura deste livro ajude a aliviar seu desconforto.

Agradecimento

Ao Grupo de Estudo e Apoio ao Paciente com Fibromialgia de São José dos Campos, em São Paulo, por seu interesse e sugestão de editar a versão deste livro em português, especialmente à dra. Raquel Paviotti Corcuera.

Prefácio

A VIDA É um presente. Costumamos pensar nela somente como uma sucessão de fatos, mas não percebemos que esses fatos são apenas o que a nossa – limitada – mente é capaz de processar. Antes da mente, antes das percepções e até mesmo antes de nós, existe um fluxo de vida que tem sido relatado pela ciência biológica, pela filosofia, pelas tradições espirituais, enfim, por todas as formas que nos mostram que a vida é algo mais grandioso do que nos parece no cotidiano. Recebemos esse presente a cada novo dia.

Dizia Albert Einstein que "há apenas duas maneiras de ver a vida: uma é pensar que não existem milagres e a outra é acreditar que tudo é um milagre..." Porém, tudo que é vivo está em constante movimento e transformação. Em alguns momentos, isso poderá nos trazer alegria. Em outros, dor. Essa dor pode ser de corpo ou de alma.

A dor do corpo é aquela que experimentamos em situações agudas e funciona como um alarme de perigo. A dor do dedo que queima evita que se perca o braço. Também é dor de corpo aquela que sentimos em doenças, mostrando que algo está em desequilíbrio, funcionando mal. A dor da alma é a dor do sofrimento, inesperado e indesejado. Mais doloroso ainda é quando achamos que tal sofrimento não tem solução. Quando não vemos como escapar dele.

Na fibromialgia, são vividas ambas as dores. O corpo dói. Uma dor crônica, má companheira, com crises nas quais se acentua. A alma dói. Pelo sofrimento continuado. Por não receber a confiança dos amigos e familiares ao falar sobre isso. Muitas vezes, por não receber crédito nem mesmo dos profissionais de saúde.

Quando o dr. Martínez-Lavín me enviou uma cópia da edição em espanhol deste livro, tive uma surpresa muito positiva com a leitura. A obra parece-me um bálsamo, capaz de atuar em ambas as dores. Pode curar a dor física, ou pelo menos reduzi-la, ao discutir as diversas possibilidades de tratamento. Também é capaz de curar a dor psicológica, quando permite ao portador de fibromialgia se reconhecer e entender melhor a doença, suas possíveis causas e seu tratamento. Além disso, ao compreender que outros padecem como ele, aquele que sofre pode buscar ali a força do exemplo e iniciar sua jornada de cura.

É um livro que pode ser lido tanto por médicos quanto por pacientes, tal é a riqueza de seu conteúdo e a simplicidade da sua escrita.

Percebo que, ao olhar do universo, talvez a fibromialgia não seja uma doença, mas apenas um sintoma do desequilíbrio que hoje assola a humanidade. Isso só seria plenamente curado com o acesso à consciência; porém, essa busca maior deve ser precedida pelo conhecimento – e reconhecimento – dos nossos problemas.

Parabenizo o dr. Lavín pela obra, assim como a MG Editores e a dra. Raquel Paviotti Corcuera pelo esforço de trazê-la à língua portuguesa.

Espero que esta leitura lhe traga a mesma tranquilidade que experimentei.

Roberto Cardoso
Médico, fundador do Núcleo de Medicina e Práticas Integrativas da Universidade Federal de São Paulo e autor de *Medicina e meditação* (MG Editores)

1. A razão deste livro: a incompreensão da fibromialgia

Imagine acordar com a sensação de ter sido espancada. Você se levanta com o corpo dormente e totalmente dolorido. Passou a noite em claro, então começa o dia esgotada e aturdida. A dor difusa e o cansaço persistem durante todo o dia. Agora imagine que isso aconteça todos os dias, todos os meses. Dor, cansaço e insônia. Você já foi a vários médicos e se submeteu a diversos exames e tratamentos, sem nenhuma melhora, sem explicação lógica. A incompreensão sobre o que acontece com você traz angústia e também desconcerta seus entes queridos. Se consegue imaginar essa situação insuportável, você entende o sofrimento das pessoas com fibromialgia. Porém, se não imagina esses sintomas, e sim os sente na pele, é provável que você sofra dessa doença. Em qualquer das duas circunstâncias, a leitura deste livro vai ajudá-la a entender essa epidemia dolorosa do século 21.

Durante mais de 30 anos atendi a milhares de pessoas que sofrem de fibromialgia, na imensa maioria mulheres. Meu interesse por essa doença surgiu durante a residência em reumatologia nos Estados Unidos. Um de meus mentores, o dr. Kahler Hench, tinha interesse especial pela fibromialgia. Aprendi a reconhecer as características da doença, mas era incapaz de explicar como uma pessoa podia ter sintomas tão distintos como dor, fadiga, insônia, problemas intestinais, entre tantos outros. Ficava claro que os problemas das pacientes eram reais, mas também era evidente que muitas das mulheres afetadas estavam imersas em situações estressantes. Minha conjectura era que a fibromialgia pudesse ser resultado de uma ruptura drástica de nosso sistema de resposta ao estresse. Na medicina, esse sistema é conhecido como sistema nervoso autônomo. Infelizmente, naquele momento não havia um método objetivo e confiável que estudasse o funcionamento desse componente.

Coube a mim viver a ignorância e o repúdio da comunidade médica em relação à fibromialgia, que infelizmente persiste até hoje. Muitos médicos não têm um marco teórico coerente no qual enquadrar essa doença. O paradigma médico ainda em vigor, linear e reducionista (esses termos são explicados em capítulos mais à frente), é incapaz de entender a complexidade da fibromialgia. Essa incompreensão tem como consequência natural o maltrato às pacientes.

Há mais de três décadas tenho o privilégio de trabalhar no Instituto Nacional de Cardiología Ignacio Chávez, do México. É um centro dedicado ao desenvolvimento de novos conhecimentos médicos. Na década de 1980, foi introduzido na medicina um novo método baseado em cálculos computacionais avançados que permite estimar o funcionamento do sistema de resposta ao estresse com base no estudo das variações dos batimentos cardíacos. Pudemos, então, aplicar uma tecnologia cardiológica de ponta – a análise computacional da variação dos batimentos cardíacos – ao estudo da fibromialgia. Conduzimos vários estudos controlados para provar nossas hipóteses. Depois de um início tumultuado, já que desconhecíamos o terreno, observamos que de fato as pacientes com fibromialgia têm seu sistema de resposta ao estresse destruído. Pesquisadores de outras latitudes corroboraram essas alterações. O estudo computadorizado dos ritmos cardíacos permitiu-nos ter acesso ao fascinante campo das ciências da complexidade e, assim, ter uma visão integral da fibromialgia e de seu tratamento. Mais recentemente, delineamos os mecanismos pelos quais a alteração no funcionamento de nosso sistema de adaptação ao estresse pode gerar a verdadeira dor crônica e também os demais sintomas da doença.

Neste livro, explicamos o que é a fibromialgia, por que ela é tão frequente em nossos dias, que problemas causa, como pode ser diagnosticada e qual é seu tratamento atual. O objetivo é também discutir os intrincados mecanismos que originam e mantêm a doença. Por suas características peculiares, é necessário também abordar temas novos, como os sistemas de adaptação ao estresse e as ciências da complexidade. Também discutimos com objetividade tópicos controversos, como o efeito placebo, a medicina complementar e o charlatanismo. Tudo isso em uma linguagem acessível às pacientes e aos seus familiares, sem tecnicismos ou jargões médicos.

Na discussão dos mecanismos que disparam a fibromialgia, há algo um pouco – ou muito – tendencioso na ênfase dada às pesquisas geradas na nossa instituição. Isso deve ser considerado uma reação natural de um pesquisador que está fascinado e obcecado por suas descobertas. É preciso advertir, no entanto, como veremos mais adiante, que as conclusões dos questionamentos científicos são necessariamente imparciais e nossos resultados iniciais foram corroborados por pesquisadores de outros países. Assim, nossas descobertas de forma nenhuma se contrapõem às evidências que estão surgindo em várias partes do mundo. Pelo contrário, parecem consolidá-las e contribuem para uma explicação integral da doença.

Em razão da especial incidência da fibromialgia entre as mulheres, utilizamos o artigo feminino "a(s)" ao falar de pacientes. Porém, a maioria dos conceitos é aplicável também *aos* pacientes. As pessoas que, depois de ler este livro, acreditarem que elas mesmas ou alguém próximo possam ter a doença não devem se autodiagnosticar de modo nenhum (como se verá, o diagnóstico não é simples) e muito menos se automedicar. É fundamental procurar um médico familiarizado com esse sofrimento, para que ele defina bem a situação.

A obra não se dirige apenas às pacientes com fibromialgia e a seus familiares, mas também aos médicos. Ainda que seja redigido em uma linguagem simples, as discussões procuram ser profundas, atualizadas e detalhadas. As afirmações baseiam-se em estudos científicos. Inclusive, no final do livro, são colocadas as referências bibliográficas para que os médicos interessados conheçam as fontes científicas originais.

Os leitores leigos na matéria podem achar certas seções, especialmente as que explicam os mecanismos de desenvolvimento da fibromialgia, complicadas. Para remediar essa possível dificuldade, no fim de cada capítulo fazemos um resumo de seu conteúdo fundamental.

Sinopse

- A fibromialgia é uma doença complexa desconhecida ou mal compreendida por muitos médicos e pela sociedade em geral.
- Essa ignorância conduz inevitavelmente ao mau tratamento de uma multidão de pessoas que é vítima da doença. Pesquisas recentes parecem ter encontrado uma explicação

lógica para suas múltiplas manifestações, incluindo a dor crônica. Este livro tenta reduzir a desinformação a respeito da fibromialgia.

2. Definição, história, frequência e impacto socioeconômico da fibromialgia

Definição

A FIBROMIALGIA É UMA doença complexa muito comum. Calcula-se que afete entre 2% e 5% da população em geral. Os afetados são na maioria (entre 80% e 90%) mulheres. A variação da idade inicial é muito grande: vai desde a pré-adolescência até a velhice.

Duas características definem a doença:

1. Dor crônica generalizada. As pessoas sentem dor no corpo todo – uma dor intensa e persistente.
2. Sensibilidade exagerada à pressão em determinadas partes do corpo.

Como veremos mais adiante, essas duas características definidoras são acompanhadas sempre de outros problemas. Na verdade, uma peculiaridade da fibromialgia é que ela produz sintomas múltiplos e diversos.

História

O TERMO *REUMATISMO* DERIVA do grego *reuma*, que significa "humor" ou "substância". Os antigos acreditavam que as dores reumáticas fossem provocadas por uma substância originada na cabeça que, ao cair nos músculos e nas articulações, causava dor. Tal substância foi denominada, tempos depois, de *catarro*. No século 18, estabeleceu-se que o reumatismo não representava uma enfermidade única e a dor nos músculos podia ser a manifestação de múltiplos sofrimentos. Sendo assim, consolidou-se o termo *artrite* para denominar os problemas reumáticos que provocavam inflamação das articulações. Naquela época, começou-se a reconhecer entidades reumáticas específicas, como a febre reumática, a artrite reumatoide e a gota, entre outras.

No século 19, descobriu-se que havia uma forma de reumatismo muscular não deformante, na qual a dor era acompanhada de hipersensibilidade ao apalpar certas regiões em que se localizava o tecido fibroso dos músculos. Ao pressionar esses pontos, a dor irradiava-se para regiões circunvizinhas. No início do século 20 cunhou-se o termo *fibrosite* (que literalmente significa "inflamação do tecido fibroso") para diagnosticar as pacientes que tinham dor muscular generalizada e hipersensibilidade em certos pontos anatômicos. Naquele tempo acreditava-se que a causa da dor estava em uma inflamação localizada dentro dos músculos e tecidos fibrosos. No entanto, essa teoria não se comprovou, já que as biópsias dos locais musculares doloridos não mostraram dados de inflamação. Os médicos não encontravam explicação nem diagnóstico adequado para um grupo crescente de pacientes que iam consultá-los acometidos por doenças musculares difusas. Esse fenômeno foi particularmente notório durante a

Segunda Guerra Mundial, quando muitos soldados apresentaram esses sintomas. Ao não encontrar uma explicação adequada, alguns médicos diagnosticavam os pacientes como portadores de um *reumatismo psicogênico*.

A era científica do conhecimento da fibromialgia começou na década de 1970. Ao se reconhecer a ausência de fenômenos inflamatórios, alterou-se o termo *fibrosite* para *fibromialgia* ("dor em músculos e tecidos fibrosos"). Porém, não havia critérios diagnósticos precisos que permitissem definir melhor a doença e diferenciá-la de outros problemas reumáticos. Essa situação era um obstáculo ao avanço do conhecimento da doença.

Um avanço importante nesse sentido, porém, ocorreu em 1990, com a publicação dos primeiros critérios de classificação promulgados pelo American College of Rheumatology. É importante recordar como os critérios foram definidos. Um grupo de especialistas dos Estados Unidos e do Canadá recolheu informações detalhadas sobre as alterações manifestadas por um grupo de pacientes com fibromialgia (293 casos) e comparou-as com as alterações apresentadas por um grupo com outras enfermidades reumáticas suscetíveis de ser confundidas com a doença (265 casos). Foram feitos cálculos estatísticos precisos. O resultado foi a descoberta das possíveis duas manifestações mais importantes para se definir a fibromialgia:

1. Dor difusa crônica nos quatro quadrantes do corpo.
2. Sensibilidade exagerada à apalpação em locais anatômicos específicos.

Convém enfatizar que esses são critérios de classificação úteis para uniformizar os estudos científicos. Quando falamos de um paciente em particular, não se pode ser tão rígido. No entanto, o exame estatístico da pesquisa do American College of Rheumatology permite identificar outras características distintivas da fibromialgia, que são:

1. Fadiga que não melhora com o repouso.
2. Alterações do sono.
3. Adormecimento difuso do corpo pelas manhãs.
4. Formigamento ou câimbras nos braços e pernas.
5. Dor de cabeça.
6. Intestino irritável.
7. Fenômeno de Raynaud (explicado mais adiante).
8. Ansiedade ou depressão.

Todos esses sintomas são mais frequentes em pessoas que sofrem de fibromialgia, se comparadas com pessoas que sofrem de doenças reumáticas similares.

Recentemente, foram reconhecidas outras doenças que podem estar associadas à fibromialgia, tais como o espasmo da mandíbula com dor durante a noite (a chamada *síndrome temporomaxilar*) e a cistite não infecciosa. No Capítulo 9, essas alterações são analisadas em detalhes.

Desde que foram divulgados os primeiros critérios até hoje, assistimos a uma verdadeira explosão do número de pesquisas científicas sobre a fibromialgia, provenientes de diferentes países, o que se traduziu em um avanço notável no conhecimento de seus mecanismos. Outro fato histórico importante tem sido os estudos epidemiológicos realizados em diversas partes do mundo, os quais concluíram que a doença é muito frequente: aproximadamente 2% a 4% da população em geral sofre do mal. E, entre os afetados, de 80% a 90% são, como dissemos, mulheres.

No ano de 2010, foram publicados novos critérios diagnósticos da fibromialgia, também com o aval do American College of Rheumatology. Por razões discutidas em capítulos mais adiante, esses critérios são controversos e sua utilidade ainda está para ser demonstrada.

Os estudos de grandes companhias seguradoras e as cifras dos sistemas nacionais de saúde dos países em desenvolvimento demonstram que o custo econômico da fibromialgia é alto. Os gastos diretos com o atendimento médico por paciente são estimados em torno de US$ 4 mil por ano. E é uma doença potencialmente incapacitante. Estudos feitos nos países industrializados revelam que entre 10% e 20% das pessoas com fibromialgia não conseguem permanecer no mercado de trabalho.

Sinopse

- A fibromialgia é uma doença complexa e muito frequente.
- Afeta predominantemente mulheres.
- Caracteriza-se por dor em diversas partes do corpo, cansaço que não melhora com o repouso, insônia, formigamento ou câimbra nos braços e pernas e hipersensibilidade à pressão em diferentes regiões do corpo.
- Seu custo econômico e social é muito alto.

3. Dor: a causa mais frequente da consulta médica

A manifestação principal da fibromialgia é a dor. Por isso, é fundamental em primeiro lugar defini-la, para depois falar sobre os diferentes tipos de dor e expor os mecanismos que nos fazem senti-la.

Praticamente todos nós, seres humanos, já experimentamos a dor em algum momento de nossa vida; por isso, sabemos bem o que ela é. No entanto, é mais difícil tentar defini-la com palavras, já que se trata de uma sensação subjetiva e particular. A definição mais aceita de dor é a sugerida pela International Association for the Study of Pain (IASP): "Uma sensação desagradável acompanhada de uma emoção que se percebe como um dano ao nosso corpo". Nessa definição convém destacar três aspectos:

1. Não só sentimos a dor, mas também, imediatamente, surge o desejo de procurar sua causa para eliminá-la.
2. Associamos a dor a um dano ao nosso corpo (por exemplo, dor de dente, de uma fratura ou de uma queimadura).
3. A sensação dolorosa é acompanhada de uma reação emocional negativa, que as pessoas em geral expressam na forma de gestos que podem chegar ao choro. Ressalte-se o fato de que o componente emocional está explícito na definição de dor.

Quando se inflige um dano ao nosso organismo, a sensação dolorosa é transmitida pelos nervos periféricos específicos até uma central nervosa que corre por dentro da coluna vertebral – a medula espinhal. Nela são estabelecidas as interconexões que podem ser definidas como estações de relevo e de modulação da dor. Tais estações encontram-se em gânglios localizados nas raízes dorsais dos troncos nervosos que nascem na medula espinhal, e também dentro da própria medula, em seus cornos dorsais. Nesse local é processada e modulada a sensação dolorosa, que é transmitida ao cérebro. Outros locais adicionais de modulação da dor, que também agem como centrais de alarme, são partes específicas do cérebro chamadas hipotálamo e tálamo. Esses centros ativam automaticamente o sistema de resposta à agressão, formado principalmente pelo sistema nervoso autônomo, o qual – como veremos adiante – é nosso sistema principal de regulação interna, de adaptação ao meio ambiente e também de resposta ao estresse. O outro componente do sistema de resposta ao estresse é o eixo hormonal que secreta a cortisona interna. Finalmente, o estímulo doloroso chega ao córtex cerebral, onde a sensação se torna consciente e obriga o indivíduo a dar atenção imediata ao estímulo doloroso e a tomar medidas urgentes para tentar eliminar sua causa.

É importante diferenciar a dor de curta duração (aguda) da dor de longa duração (crônica). Evidentemente, a dor aguda é muito útil para o indivíduo; é um alarme que nos diz que nosso corpo foi agredido e, portanto, exige uma resposta imediata. A dor de dente indica-nos que provavelmente há uma infecção e temos de ir ao dentista para resolver o problema. A dor de uma fratura obriga-nos a imobilizar a parte afetada e assim começa o processo de cura. A dor de uma queimadura exige-nos afastar imediatamente a mão do fogo.

Algo bem diferente acontece com a dor crônica, pois a sensação deixa de ser útil para o indivíduo que a vivencia. Ela deixa de ser apenas uma sensação e pode se transformar em doença. Esse é precisamente o caso da fibromialgia.

A dor crônica divide-se em duas grandes vertentes:

1. A associada a um dano persistente às estruturas do corpo. É a chamada *dor nociceptiva*. Um exemplo desse tipo de dor é a que afeta os pacientes com câncer ou os com diversos tipos de artrite. Nesses casos, há no corpo uma inflamação e um dano constante, que as fibras nervosas estão transmitindo ao cérebro incessantemente.
2. Em contraste, há a dor associada a uma alteração intrínseca das fibras nervosas encarregadas de transmitir os impulsos dolorosos. É a chamada *dor neuropática*. Nesse caso, não há dano à estrutura do corpo; no entanto, os nervos encarregados de transmitir a dor ficam irritados e enviam de maneira constante sinais que o cérebro interpreta como se o corpo estivesse inflamado ou atingido. Essa irritação pode acontecer nos nervos periféricos ou nas sinapses (nos gânglios das raízes dorsais, nos cornos dorsais ou no tálamo).

Os conhecimentos recentes revelaram um fenômeno importante que faz que certos tipos de dor crônica – especialmente a dor neuropática – se perpetuem e se intensifiquem. É o *fenômeno da ressonância* ou *da potenciação* (em inglês, *wind-up*). Essa expressão se deve a uma sensibilização anormal das vias da dor (principalmente na medula espinhal), as quais ficam persistentemente irritadas, fenômeno denominado *sensibilização central das vias da dor*. Para explicá-lo, propomos o seguinte exemplo: vamos imaginar que, de forma intermitente, encostamos um objeto quente em nossa mão. O cérebro, então, registra o estímulo quente/doloroso também de maneira intermitente. Algo diferente acontece em certos casos de dor crônica neuropática nos quais há uma sensibilização das vias da dor. Apesar de a aplicação do estímulo ser intermitente e de mesma intensidade, a dor é sentida de forma cada vez mais prolongada e, finalmente, deixa de ser constante. Porém, a dor é percebida de maneira cada vez mais acentuada, ainda que o estímulo continue tendo a mesma intensidade e periodicidade. Ao chegar a esse extremo, mesmo estímulos inócuos – como o roçar da mão – são dolorosos.

A sensibilização central é concluída principalmente na medula espinhal, e deve-se ao fato de os nervos encarregados de transmitir a dor secretarem um excesso de substâncias que incitam a dor, tais como a *substância P*, o *glutamato* e o *aspartato*. Há também uma hiperatividade dos chamados *canais de cálcio dependentes de voltagem*, que aceitam essa transmissão exagerada. Mas não são produzidas só mudanças bioquímicas na medula espinhal, mas também mudanças estruturais microscópicas (fenômeno denominado *neuroplasticidade*), que perpetuam esse estado de irritabilidade de forma irreversível. Na sensibilização central existe, além disso, uma ação deficitária de substâncias que normalmente inibem a transmissão da dor, como a *adenosina* e o ácido gama-aminobutírico (Gaba).

Outro fator importante que pode influir na perpetuação da dor neuropática e na gênese da sensibilização central é a participação do sistema nervoso simpático. Esse fenômeno é denominado *dor mantida pelo sistema simpático*. Como veremos adiante, o ramo simpático é a parte do sistema nervoso autônomo encarregada de "acelerar" as funções do organismo e de responder a qualquer situação estressante. Trabalha mediante a secreção de adrenalina. Em situações normais, a adrenalina é incapaz de ativar as terminações nervosas encarregadas de transmitir a dor. Na verdade, durante os períodos de estresse agudo, quando há secreção excessiva de adrenalina, acontece o contrário: as pessoas tornam-se mais resistentes à dor. No entanto, algo totalmente diferente acontece depois de um forte trauma físico (e talvez emocional): os nervos encarregados de transmitir a dor tornam-se sensíveis à ação da adrenalina. Isso é visto de forma muito clara no modelo animal de dor crônica. Nos ratos que sofrem danos em seu nervo ciático, a condução elétrica por meio das vias dolorosas aumenta quando as terminações nervosas entram em contato com a adrenalina. Mais ainda, nos gânglios das raízes dorsais observa-se uma gemulação dos terminais simpáticos, do que resulta uma interconexão anormal entre o sistema simpático que produz adrenalina e as vias que transmitem dor. Nessas circunstâncias, a adrenalina provoca dor. Portanto, nesses gânglios das raízes dorsais o estresse pode se transformar em uma verdadeira dor crônica. Há "porteiros da dor" nesses gânglios das raízes dorsais. São canais de sódio denominados Nav 1-7. Variações genéticas desses porteiros fazem que algumas pessoas sejam incapazes de sentir dor e outras, por sua vez, sofram de dor constante. Um fenômeno importante que pode ter relação com o desenvolvimento da fibromialgia é o fato de que os gânglios das raízes dorsais podem agir como refúgio de agentes infecciosos. Vários vírus e algumas espiroquetas podem residir nesses locais sem que o sistema imune seja capaz de desalojá-los.

Reiteramos: a dor crônica é uma situação tão complexa que deixa de ser apenas um sintoma e se torna uma verdadeira doença. O exemplo mais cristalino dessa mutação é a fibromialgia.

Sinopse

- A dor é uma sensação desagradável que avisa que há uma agressão ao corpo.
- A dor de curta duração (aguda) é útil para o indivíduo que a sente, ao contrário da dor persistente (crônica), que perde sua utilidade e pode se tornar uma doença. É o caso da fibromialgia.
- A dor crônica inevitavelmente provoca mudanças emocionais negativas.
- A dor persistente pode ser causada por uma irritação constante dos nervos encarregados de transmitir os impulsos dolorosos sem que haja dano ao corpo. Esse fenômeno é conhecido como *dor neuropática*.
- Nos casos de dor neuropática, podem se desenvolver conexões anormais entre o sistema nervoso simpático e as vias dolorosas. Em tais circunstâncias, a adrenalina e o estresse pioram a dor.
- Há alguns locais especiais ao redor da coluna vertebral denominados "gânglios das raízes dorsais", onde os estímulos nervosos produzidos pelo estresse podem se transformar em verdadeira dor crônica.
- Nesses gânglios das raízes dorsais localizam-se os canais de sódio especiais que agem como "porteiros da dor" e fazem que alguns indivíduos sejam mais suscetíveis a senti-la.
- Nesses gânglios das raízes dorsais podem se alojar agentes infecciosos indutores da dor crônica.

4. O efeito placebo

Quando falamos de dor crônica, é preciso discutir também o efeito benéfico que a ingestão de comprimidos ou a injeção de substâncias sem nenhum princípio ativo pode ter sobre esse sintoma. As substâncias inertes são chamadas de *placebo*, e a ação benéfica, de *efeito placebo*. A ação benéfica deriva da convicção, por parte da paciente, de que a substância ingerida vai diminuir sua dor.

O efeito placebo é muito comum; calcula-se que cerca de um terço das pessoas que ingerem uma substância inativa sente melhoria em sua dor, em maior ou menor grau, se acredita que a substância vai ajudá-la. O efeito é observado em diversos tipos de dor, desde a que surge após uma extração dentária até aquela que acompanha diferentes tipos de artrite ou câncer.

Esse efeito se multiplica quanto mais complicada for a intervenção terapêutica. A cirurgia, com seus notórios estigmas – as suturas e a cicatriz –, exerce um poderoso efeito placebo. Um bom exemplo desse fenômeno está no famoso estudo controlado de cirurgia artroscópica de joelho (uma das intervenções cirúrgicas mais comuns para a dor artrítica dessa região) publicado na prestigiada revista científica *New England Journal of Medicine*, em 2002. Dos 180 pacientes que participaram, um subgrupo foi submetido, sem saber, a uma operação simulada (apenas foram sedados, receberam uma incisão e foram suturados); os que se submeteram à verdadeira operação sentiram tanto alívio da dor quanto aqueles em quem se praticou a intervenção falsa. Em alguns desses casos, a melhora da dor e da mobilidade durou até dois anos.

Pelo fato de o efeito placebo ser tão comum, agora todos os estudos científicos sérios que investigam se um medicamento é efetivo para a dor devem incluir um grupo de controle que supostamente tome o mesmo comprimido ou receba a injeção da mesma substância, mas sem nenhum princípio ativo. Em outras palavras, para que um analgésico seja realmente eficaz, é preciso trazer melhora para mais de 30% dos sujeitos que o consomem.

A boa relação médico-paciente também tem efeito placebo. Comprovou-se que o fato de explicar ao paciente qual é o diagnóstico melhora os sintomas, ao contrário do que acontece quando o paciente é informado de que o médico não está seguro da causa de sua doença.

Enfatizemos, então, certas características do efeito placebo:

1. Não é um efeito que necessariamente dura pouco tempo: pode durar meses e até anos.
2. A ação benéfica é sentida por qualquer tipo de pessoa, não apenas as "sugestionáveis". É um efeito real no qual se libera a "farmácia interna" de nosso organismo, principalmente os poderosos analgésicos internos chamados *endorfinas*. É preciso desfazer a ideia de que é "pura imaginação". Se são ministradas substâncias para bloquear as endorfinas, o efeito placebo não se produz. Não se deve confundir efeito placebo com não fazer nada. Porém, o efeito placebo aumenta e complementa o efeito dos medicamentos, podendo se transformar em uma arma terapêutica efetiva.

Tanto pacientes quanto médicos devem lançar mão dos analgésicos potentes contidos nessa farmácia interna. Isso pode ser conseguido com uma boa relação médico-paciente, na qual existam compreensão e confiança mútuas.

Além do efeito placebo, há outras razões naturais para que uma pessoa com dor crônica melhore ao ingerir qualquer substância: a primeira é a trajetória normal do sofrimento, que sozinho já vai no sentido da melhora; a outra é a tendência matemática chamada de *regressão à média*. Esta última significa que, nas etapas de exacerbação do sofrimento (que é quando os medicamentos são tomados), há uma tendência natural a voltar ao estado original de desconforto.

Sinopse

› Denomina-se *efeito placebo* a ação benéfica que a ingestão de comprimidos ou a injeção de substâncias sem nenhum princípio ativo pode ter sobre a dor.
› A convicção de que certo tratamento será benéfico libera a "farmácia interna" do corpo, que contém os potentes analgésicos chamados *endorfinas*.
› O efeito placebo é real e também é obtido em decorrência de uma boa relação médico-paciente.

5. O que é estresse?

O desenvolvimento da fibromialgia está associado a agentes estressantes, que podem ser físicos, infecciosos ou emocionais. Por isso é importante entender vários conceitos associados ao estresse. O termo "estresse" é ambíguo. Se utilizado para designar a causa de um fenômeno, então falamos de agente estressante ou "estressor", mas também denomina o efeito de um fenômeno. Nesse caso, dizemos que uma pessoa está "estressada". A definição mais aceita de estresse é a seguinte: "Qualquer estímulo, seja físico ou emocional, que atenta contra a função equilibrada e harmônica de nosso corpo". O termo "distresse" foi cunhado por Selye para definir a resposta não adaptada ao estresse que produz dano físico e/ou emocional. Existem outros termos relacionados, como "alostasia" e "carga alostática". A alostasia pode ser definida como o esforço adicional necessário para manter o equilíbrio diante de situações de maior demanda. A carga alostática é o preço pago pelo organismo na tentativa de se adaptar a um entorno adverso.

É importante reiterar que os termos estresse, distresse e alostasia têm conotações tanto físicas como emocionais. Um agente estressante pode ser um divórcio, a perda do trabalho ou a morte de um ser querido, mas também uma infecção persistente, uma doença, uma queimadura ou até um acidente automobilístico.

Os três conceitos são frequentes na fibromialgia. É comum que as pessoas afetadas lutem com alguma das situações estressantes antes mencionadas. Outras pacientes, no entanto, geram elas mesmas o estresse por terem uma personalidade rígida e perfeccionista, sendo obsessivas no cumprimento de suas tarefas dentro e fora do lar. Exercem o autossacrifício para atender às pessoas próximas.

Sinopse

› O estresse é qualquer estímulo, seja físico ou emocional, que atente contra a função equilibrada e harmônica de nosso corpo.
› O esforço constante para se adaptar a uma situação estressante pode gerar doenças como a fibromialgia.

6. Nosso sistema de resposta ao estresse: o sistema nervoso autônomo

É espantosa a capacidade que os animais, incluindo os seres humanos, têm de se adaptar às mudanças constantes do meio ambiente. Por exemplo, com o frio, os poros da pele imediatamente se fecham para manter a temperatura do corpo constante. Se o frio é intenso, começamos a tiritar, ou seja, sofrer sacudidas musculares involuntárias para gerar calor e preservar a temperatura corporal. Ao contrário, se o meio ambiente é quente demais, aparece a sudorese para manter a temperatura interna. A resposta às mudanças climáticas é apenas um exemplo do maravilhoso desempenho de nosso sistema principal de regulação interna e de adaptação ao meio ambiente: o *sistema nervoso autônomo*. Ele também se encarrega de responder a todo tipo de estresse. Uma vez que a desregulação de tal sistema parece desempenhar um papel primordial no desenvolvimento da fibromialgia, descrevemos neste capítulo as características desse aparato fundamental à saúde dos seres humanos.

O sistema nervoso autônomo é uma intrincada rede nervosa que nasce na base do cérebro e percorre o corpo, influindo no funcionamento de todos os órgãos internos. O adjetivo *autônomo* denota o fato de que seu trabalho é alheio à nossa vontade, já que trabalha por baixo do nível de consciência. Esse sistema é encarregado de manter a harmonia das funções vitais fundamentais, como a pressão arterial, a frequência do pulso, a respiração e a temperatura. Por essa razão, tais parâmetros são denominados *sinais vitais*. Além disso, o sistema nervoso autônomo regula o funcionamento de praticamente todos os órgãos internos, como o coração, o pulmão, o intestino e a bexiga, entre outros. Ele é também encarregado de responder ao *estresse*. Diante de qualquer ameaça, põe todo o corpo em estado de alerta, pronto para a luta ou a fuga. O sistema nervoso autônomo trabalha em estreita colaboração com o sistema endócrino, em especial com os hormônios ligados à cortisona – o sistema endócrino é o responsável pela produção de hormônios. Também mantém uma relação importante com o sistema imunológico, que é encarregado, entre outras coisas, de lutar contra as infecções.

O centro do funcionamento do sistema nervoso autônomo está localizado no tronco encefálico e nas regiões do cérebro denominadas hipotálamo e tálamo. O sistema tem dois ramos. Um, que poderíamos chamar de *acelerador*, é o sistema nervoso simpático, que se encarrega de colocar todo o corpo em estado de alerta, "pronto para a luta ou a fuga". O sistema simpático trabalha mediante a secreção da adrenalina e de suas congêneres.

A adrenalina é um hormônio produzido na parte interna das glândulas suprarrenais. Também é conhecida como *epinefrina*. Por sua fórmula química, pertence ao grupo das substâncias denominadas *catecolaminas*. Nesse grupo encontram-se a *norepinefrina* e a *dopamina*. Na verdade, essas duas últimas são os verdadeiros transmissores simpáticos. No entanto, para evitar confusões, neste livro esse conjunto de substâncias será agrupado sob o termo geral e popular de adrenalina.

Em oposição ao ramo simpático está o ramo parassimpático, que tem ações antagônicas, já que favorece o sono e a digestão.

Esse ramo trabalha predominantemente com a secreção de *acetilcolina*. Ambos os ramos funcionam como o *yin* e o *yang*: se há elevação do tom simpático, a consequência natural é a redução do parassimpático.

O sistema autônomo tem um *ritmo circadiano*. Isso quer dizer que a atividade dos dois ramos acompanha o ciclo dia/noite. Durante o dia, predomina a atividade simpática, o que permite ao sujeito estar ativo e pronto para reagir diante das demandas físicas e intelectuais cotidianas. Em contrapartida, durante a noite predomina a atividade parassimpática, que favorece o sono e o descanso reparador. Esse ciclo também é seguido pelo sistema endócrino, que produz hormônios (principalmente o cortisol e a melatonina).

A preservação de um ritmo circadiano harmônico é fundamental à manutenção da saúde dos animais e também dos humanos. Durante milhares de anos, o ciclo dia/noite acompanhou o compasso dos estímulos externos correspondentes: luz, ruído e atividade durante o dia; escuridão, silêncio e descanso à noite. O processo de industrialização mudou radicalmente esse ciclo harmônico. Agora, quando a noite chega, a luz, o ruído e a atividade continuam. Essa alteração necessariamente impacta de forma negativa o equilíbrio funcional dos seres vivos.

O sistema autônomo tem interconexões com o córtex cerebral e, portanto, com a consciência. Então, as emoções (raiva, medo, susto) traduzem-se em respostas biológicas (palidez, taquicardia, dilatação das pupilas), precisamente a partir da ativação simpática. O sistema é a interface entre a mente e o corpo.

O sistema nervoso autônomo tem uma resposta instantânea e é encarregado de funções tão elementares quanto evitar que desmaiemos ao ficar em pé. Quando nos levantamos, a força da gravidade tende a reduzir a irrigação sanguínea do cérebro, já que levaria o sangue a se acumular nas veias das pernas. Para evitar a queda da pressão arterial na cabeça, ao nos colocarmos em pé, o sistema simpático produz adrenalina de maneira instantânea; então, o coração acelera um pouco e os vasos sanguíneos se contraem mais um pouco. Essa reação imediata tem como resultado a manutenção da irrigação cerebral apesar da força da gravidade.

Os ramos simpáticos viajam do tronco cerebral ao longo da coluna vertebral e dali se estendem a todos os órgãos do tórax e do abdômen, em especial ao coração e às glândulas suprarrenais. Estas últimas são uma importante reserva de adrenalina. Sendo assim, o sistema simpático também age sobre as quatro extremidades do corpo. O ramo parassimpático é representado primordialmente pelo nervo vago que enerva o coração e os intestinos.

O sistema nervoso autônomo é a representação biológica do *yin* e *yang* da filosofia oriental. O *yin-yang* une os opostos de maneira harmônica: o frio e o calor, a luz e a sombra, o feminino e o masculino, o dia e a noite, o suave e o rígido, o úmido e o seco. São opostos, mas ao mesmo tempo interdependentes dinâmicos e harmônicos: o *yin* torna-se *yang* e vice-versa. Não se pode conceber o *yin* sem o *yang*, e, juntos, eles formam o *tao*.

Foi difícil medir o desempenho desse sistema tão variável, já que a atividade dos dois ramos muda constantemente. Na década de 1980, foi implantado um método baseado em cálculos computacionais avançados denominado "análise da variabilidade do ritmo cardíaco". Essa tecnologia baseia-se no

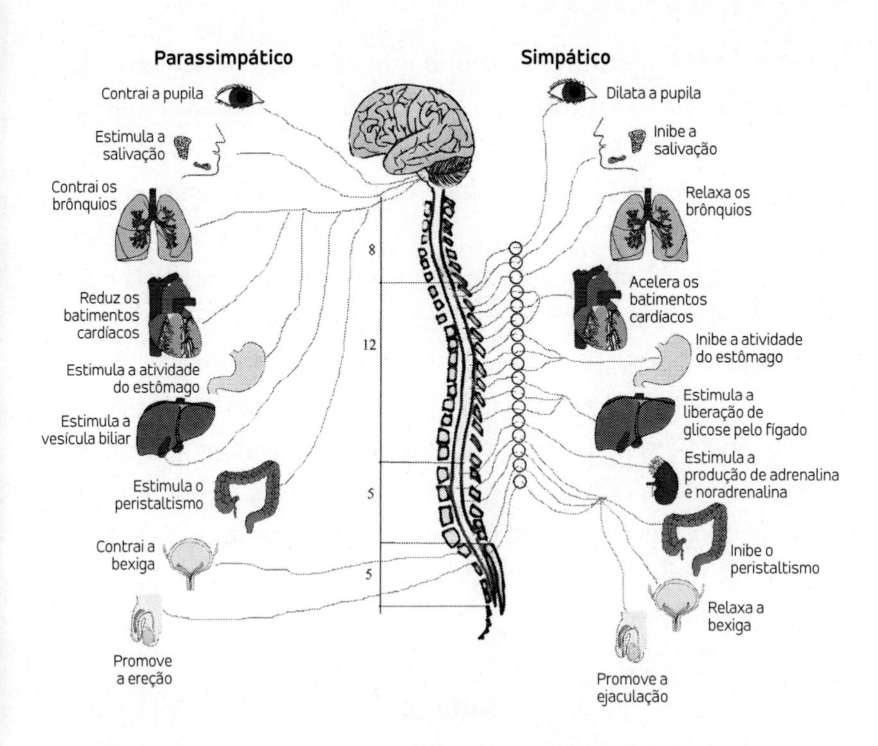

Esquema do sistema nervoso autônomo. O lado esquerdo representa o ramo simpático, que deixa o organismo pronto para a luta ou a fuga. O lado direito representa o ramo parassimpático, que favorece a digestão e o descanso.

fato de que a frequência dos batimentos cardíacos não é uniforme, mas varia continuamente em questão de milissegundos. Os componentes periódicos dessa variação incessante do ritmo são ditados pelo influxo dos dois ramos do sistema nervoso autônomo, que, como já dissemos, têm ações harmônicas, mas antagônicas. De seu lado, o ramo simpático produz variações mais lentas, e estas nascem dos monitores situados no interior das artérias, que estão constantemente medindo a pressão arterial. As complexas análises computacionais de tal variabilidade permitem medir a atividade dos dois ramos do sistema nervoso autônomo. A vantagem do método reside no fato de que todas as determinações derivam de estudos do eletrocardiograma, sem submeter as pacientes a nenhum tipo de incômodo.

Outro método que mede o funcionamento do sistema nervoso autônomo é o da mesa basculante (Teste de Tilt). Nele as pessoas são presas a uma maca que, em princípio, está em posição horizontal. Observam-se as respostas da pressão arterial e da frequência dos batimentos cardíacos quando a maca gira para a posição vertical. Uma redução exagerada da pressão arterial, um aumento exagerado da frequência cardíaca ou desmaio são sinais que indicam um desempenho inadequado do sistema nervoso autônomo.

Sinopse

- Os seres vivos dispõem de um *yin-yang* interno que harmoniza o funcionamento de nosso corpo, denominado *sistema nervoso autônomo*.
- Ele mantém as funções básicas do organismo, como a pressão arterial, a respiração e a digestão, entre muitas outras.
- Possui dois ramos: um "acelerador", denominado *sistema simpático*, que trabalha pela produção da adrenalina e coloca todo o corpo em estado de alerta; e o *sistema parassimpático*, que favorece a digestão e o sono.
- O ramo simpático encarrega-se de responder ao estresse.
- As funções desses sistemas são sincronizadas com o ciclo dia/noite.

- O sistema nervoso autônomo conecta as funções da mente às do corpo.
- Há dois métodos modernos que permitem medir o desempenho desse sistema: a análise da variabilidade do ritmo cardíaco e a resposta ao desafio postural em uma mesa basculante.

7. As manifestações da fibromialgia

Predisposição genética

Existe certa predisposição genética em desenvolver a fibromialgia, já que a doença pode afetar vários membros de uma mesma família. Vários grupos de pesquisadores concentraram-se no estudo dos genes associados à função do sistema nervoso autônomo. Em particular, estudamos as variações do gene que dá origem à enzima encarregada de desativar a adrenalina, a catecal-O-metilctransferasa (COMT). Estudamos esse gene por duas razões fundamentais: a primeira é que, como se verá mais adiante, pensamos que um excesso de adrenalina desempenha um papel primordial no desenvolvimento da fibromialgia; a segunda razão é que dois grupos independentes de pesquisadores mostraram que certas variações específicas nesse gene produzem uma enzima "preguiçosa", que não degrada bem a adrenalina e, ao mesmo tempo, faz que as pessoas percebam os estímulos dolorosos com mais intensidade. Em outras palavras, as pessoas que não se livram adequadamente da adrenalina de seu corpo são mais suscetíveis a sentir dor persistente.

Um grupo de pesquisadores turcos descobriu que as pacientes com fibromialgia têm com menos frequência o gene COMT associado à resistência à dor. Unimos forças com o grupo do médico catalão García Fructuoso e pesquisamos se nas pacientes com fibromialgia havia essa variação genética da enzima COMT.

Encontramos uma forte associação nas mulheres espanholas, ao passo que nas mexicanas o vínculo foi menor. Em outro estudo, definimos as variações genéticas associadas aos receptores da adrenalina. Descobrimos que as pacientes mexicanas e espanholas com fibromialgia têm com frequência uma formação genética associada a defeitos nos receptores de adrenalina.

É preciso enfatizar que as alterações genéticas são apenas um fator predisponente, um terreno fértil sobre o qual, com as condições favoráveis (melhor dizendo, desfavoráveis), é possível desenvolver a fibromialgia. De modo nenhum a alteração genética é a causa da doença.

Episódios prévios

Com alguma frequência, as pessoas com fibromialgia dizem ter sentido, muitos anos antes da dor difusa, mal-estares vagos, como dores nas pernas ou nos braços durante a infância, interpretados então como "dores do crescimento". Outras pessoas mencionam tendência ao cansaço desde a infância. Referem que suas colegas adolescentes passavam a noite em claro e, no dia seguinte, estavam prontas para praticar esportes. Elas, por sua vez, amanheciam sentindo-se "espancadas", incapazes de seguir o ritmo das outras.

Fatores desencadeantes da fibromialgia

O problema pode se desencadear depois de um incidente estressante bem definido, como um forte traumatismo físico sobre a coluna vertebral. Um caso frequente é sofrer uma "chicotada" no pescoço em um acidente automobilístico. O antecedente de um traumatismo físico ocorre em cerca de um terço do total de pessoas afetadas pela doença.

Comprovou-se que diversos tipos de infecção também podem desencadear a fibromialgia, como a Doença de Lyme, causada por uma estranha bactéria chamada espiroqueta. Outra possibilidade é a doença ser desencadeada por vários vírus ainda não bem definidos. Também são circunstâncias predisponentes diversos tipos de traumas emocionais, como abuso sexual, morte de uma pessoa querida, perda do emprego, divórcio, esforço físico constante e extenuante, como na prática de um esporte competitivo, ou assédio sexual.

Outros fatores ambientais

O ESTUDO CONTINUADO DO estado de saúde de um grupo grande de indivíduos nascidos nas Ilhas Britânicas em 1958 permitiu definir eventos no curso da vida das pessoas que podiam ser fatores de risco para o desenvolvimento posterior da dor crônica generalizada.

Alguns desses fatores eram eventos adversos durante a infância, tais como conflitos familiares, morte do pai ou da mãe, limitações econômicas ou socialização inadequada nos anos escolares. Um estilo de vida exagerado, segundo o estudo, é outro fator de risco: ingestão de comida gordurosa, obesidade, tabagismo. É preciso esclarecer que essa pesquisa inglesa não definiu qual porcentagem de indivíduos com dor crônica atendia aos critérios da fibromialgia, mas outros estudos epidemiológicos conduzidos em pessoas com a doença respaldam essas associações. A dieta descontrolada, a obesidade, o tabagismo e o sedentarismo estão relacionados ao seu desenvolvimento ou agravamento. Combatentes de conflitos bélicos também desenvolvem síndromes similares à fibromialgia. Isso ficou bastante claro, por exemplo, na guerra do Golfo, depois da qual muitos recrutas norte-americanos e ingleses que participaram diretamente do conflito desenvolveram a chamada "síndrome da guerra do Golfo".

Sinopse

- Estudos recentes mostram que a percepção da intensidade da dor é geneticamente codificada.
- Os indivíduos que possuem uma enzima (denominada COMT) que degrada com eficiência a adrenalina são mais resistentes à dor.
- A eficácia da enzima COMT é determinada por variações pontuais do gene que produz a enzima.
- O gene COMT, que produz a enzima que degrada a adrenalina com mais eficiência, aparece com menos frequência nas pacientes com fibromialgia.
- Em um terço dos casos de fibromialgia a doença é desencadeada depois de um forte trauma físico.
- Traumas emocionais e certos tipos de infecção também podem disparar a doença.
- A ingestão de comida gordurosa (como *junk food*), o tabagismo, o sedentarismo e a obesidade predispõem ao desenvolvimento da dor crônica.

8. O principal problema da doença: a dor generalizada

Todas as pacientes com fibromialgia relatam dor, mas em níveis variáveis. A maioria das que procuram um médico tem dor intensa. Em uma escala de 0 a 10 (sendo 0 a ausência de dor e 10 a dor mais intensa que uma pessoa consegue sentir), a média da dor nas pacientes com fibromialgia que vão ao médico é de 7. Ainda que a doença costume ser generalizada em todo o corpo, muitas pessoas a localizam principalmente nos músculos, ossos ou articulações. O sintoma é mais detectável no pescoço, na parte inferior das costas e entre as pernas.

Há fatores moduladores da dor. Ressalta-se, por sua frequência: as mudanças climáticas, os períodos do ciclo menstrual, a qualidade do sono na noite anterior e a tensão emocional. Pode haver espaços de dias ou semanas com poucos incômodos. As primeiras horas da manhã, em geral, são as mais difíceis. A maioria das pessoas afetadas amanhece com a sensação de ter sido "espancada".

Uma característica importante da dor fibromiálgica é que esta é acompanhada de sensações anormais nas extremidades (os médicos as chamam de *parestesia*), tais como pontadas, formigamento, ardor, queimação, adormecimento, câimbras ou incômodo ao usar roupa justa. As parestesias constituem um dado importante que ajuda a diferenciar a dor fibromiálgica das dores de outros problemas reumáticos.

Como parte da dor generalizada, as pacientes também apresentam dor de cabeça. Esta pode ser difusa ou ter características de enxaqueca. A enxaqueca produz uma dor episódica que às vezes é precedida de aura (perturbação sensorial), afeta frequentemente um lado da cabeça e é acompanhada de náuseas e incômodo ao ver a luz.

Sinopse

› A dor generalizada é a manifestação fundamental da fibromialgia. É acompanhada de sensações desagradáveis, como pontadas, ardor, queimação, câimbras ou dor de cabeça.

9. Outras manifestações frequentes

Além da dor crônica, as pacientes manifestam outros sintomas variados. Isso não quer dizer que todos os incômodos existam em todos os casos, e sim que se apresentam com mais frequência na fibromialgia do que em outros tipos de doenças reumáticas. A explicação detalhada exposta a seguir não deve ser de modo nenhum fonte de preocupação para as pacientes; a intenção é proporcionar uma informação completa das possíveis manifestações que a doença pode apresentar.

Fadiga

O cansaço é um sintoma constante nas pessoas que sofrem da doença. E é comum a fadiga não melhorar com o repouso. As pacientes amanhecem muito cansadas ou mais do que estavam antes de dormir. A atividade, por sua vez, as desgasta. Elas sentem que "acaba o gás" ou que "a bateria arria" nas primeiras horas da tarde. Como se verá mais adiante, existe uma sobreposição entre fibromialgia e síndrome da fadiga crônica.

Sono não reparador

O sono é irritadiço, com frequentes sobressaltos ou despertares durante a noite. Essa anormalidade foi bem registrada em estudos eletroencefalográficos, nos quais se percebeu que as pacientes chegam com mais dificuldade e passam menos tempo no estágio IV do sono. É nessa etapa que predominam as ondas delta e é gerado o sono profundo reparador sem movimentos oculares rápidos. No caso da fibromialgia, o sono profundo é constantemente interrompido pela intrusão de ondas alfa (que se manifestam como sobressaltos e despertares). Foram feitos experimentos em indivíduos sadios privados dos estados profundos do sono por meio de ruídos e sacudidas. Depois de vários dias, tais indivíduos desenvolveram sintomas de fibromialgia.

Névoa mental

As pessoas sentem-se ofuscadas, com dificuldade de se concentrar e de ter um pensamento claro (o que se conhece como *fibrofog*). A memória é afetada e pode haver, por exemplo, dificuldade para se lembrar dos produtos que se tem de comprar no supermercado. É difícil para as mulheres acometidas da doença encontrar palavras adequadas, e sua linguagem pode se tornar mais direta. Aqui é importante enfatizar que esses sintomas não representam uma manifestação inicial de um processo demencial, como o do Mal de Alzheimer.

Secura nos olhos e na boca

Os olhos ficam irritados e parecem cheios de areia. A boca, seca e com ardência. Esses incômodos também são características de outra doença reumática chamada *síndrome de Sjogren*. No entanto, como veremos adiante, em tal enfermidade a secura é acompanhada de uma inflamação das glândulas que produzem lágrimas e saliva, coisa que não acontece na fibromialgia.

Palpitações com dor na região do coração

Esses sintomas são uma fonte de preocupação para as pacientes, já que as fazem suspeitar de uma doença cardíaca grave. Elas podem sentir dor e pontadas na região do coração, acompanhadas de uma sensação de batimentos fortes.

Enjoos e desmaios

O enjoo é um sintoma frequente e em raras ocasiões evolui para desmaios. Essas alterações podem estar relacionadas com a baixa pressão arterial que caracteriza alguns tipos de fibromialgia. Também pode haver zumbido nos ouvidos e hipersensibilidade ao ruído.

Síndrome do intestino irritável

Sintoma que afeta uma quantidade de pacientes compreendida entre 30% e 50% do total. Caracteriza-se pela sensação de distensão no ventre, com cólicas e aumento dos gases intestinais. Há períodos de constipação ou do outro extremo, diarreia. Esta é acompanhada de urgência para defecar e sensação de evacuação intestinal incompleta. As análises de matéria fecal não indicam infecção.

Mãos frias e arroxeadas

Existe o chamado *fenômeno de Raynaud*, que consiste em uma constrição violenta dos vasos sanguíneos das mãos e dos pés como resposta ao frio. A cor dos dedos torna-se branca cerúlea ("mãos de morto"), muda para roxo minutos depois e, finalmente, para vermelho. Dizia-se a princípio que as pacientes com fibromialgia padeciam frequentemente do fenômeno de Raynaud. Isso, na verdade, não é correto; o que acontece é que há uma constrição constante dos pequenos vasos sanguíneos, e isso explica as mãos frias, úmidas e arroxeadas.

Síndrome temporomandibular

Os dentistas estão familiarizados com essa questão. As pacientes têm dor na região das mandíbulas, com crispação constante e rangido dos dentes à noite (o termo médico é *bruxismo*). Há limitação na abertura bucal, com dificuldade de mastigação.

Cistite não infecciosa

Com frequência, as pacientes têm de levantar várias vezes por dia para urinar; no entanto, urinam em pouca quantidade. Uma vez que surge a sensação, há urgência para ir ao banheiro, e a micção é acompanhada de ardência e dor. Tudo isso pode sugerir uma infecção, mas os cultivos de urina são persistentemente negativos. Esse tipo de cistite não infecciosa é denominada *cistite intersticial*.

Dor vaginal

Existem dor, ardência e comichão nessa área, que podem ser constantes ou intermitentes. Nesse caso também não se encontra uma causa infecciosa. Se os incômodos coincidem com a menstruação, deve-se suspeitar de endometriose. As relações sexuais podem ser dolorosas.

Endometriose

A ENDOMETRIOSE É PRODUZIDA quando o tecido que normalmente recobre a matriz por dentro (o endométrio) fica alojado em outras partes da pélvis, sejam os ovários, o reto ou a bexiga. Ela pode provocar dor pélvica com câimbras durante a menstruação e dor durante a relação sexual ou depois de evacuar. A doença afeta mulheres jovens, sendo uma causa frequente de infertilidade. Comprovou-se que as mulheres com endometriose sofrem de fibromialgia com mais frequência.

Síndrome das pernas inquietas

É UMA SENSAÇÃO PROFUNDAMENTE desagradável nas pernas, que aparece em geral durante o repouso e obriga a pessoa a se levantar e caminhar a fim de aliviar o desconforto. Os sintomas são mais pronunciados à noite. Pode haver também estremecimentos involuntários das extremidades inferiores. Em alguns casos, encontrou-se deficiência de ferro. Outra característica desse sofrimento incômodo é a resposta favorável aos medicamentos para tratamento de Mal de Parkinson com a substância L-Dopa. Descobriu-se muito recentemente uma variação do cromossomo 6p21.2 associada a essa síndrome, o que indica uma clara predisposição genética.

Alterações imunológicas

AS PESSOAS COM FIBROMIALGIA podem apresentar diversos tipos de reação alérgica, seja com comichão e urticária, ou irritação recorrente nos olhos ou muco. Em alguns casos, há infecções periódicas, primordialmente vaginais, por um fungo chamado *cândida*.

Impacto psicológico

A ANSIEDADE É FREQUENTE. As pacientes sentem-se constantemente nervosas, incapazes de relaxar. Também com frequência há depressão associada, sensação de tristeza e desalento sem que haja uma causa específica imputável. Não é fácil explicar se a ansiedade e a depressão são causa ou efeito da fibromialgia. Nesse sentido, convém ser pragmático e aceitar a realidade. Em muitas ocasiões, as pessoas têm ansiedade/depressão e esse fator associado à doença merece atenção e tratamento. A depressão pode ser grave e necessitar de tratamento especializado. Outro problema psicológico associado à fibromialgia é a crise de angústia (episódios de medo incontrolável com a sensação de que algo imediato e grave acontecerá à pessoa).

Alterações no exame físico

A INTENSIDADE E A variedade dos desconfortos relatados pela paciente contrastam com as poucas anormalidades encontradas no exame físico. Isso desorienta muitos médicos não familiarizados com o tema, que então comentam com a pessoa, depois de examiná-la, que ela "não tem nada". Por isso a fibromialgia é chamada de "doença invisível". No entanto, alterações discretas importantes para o diagnóstico são observáveis. A fundamental é a hipersensibilidade à apalpação. Segundo os critérios clássicos, há hipersensibilidade em certos pontos anatômicos bem definidos.

A localização exata dos 18 pontos da fibromialgia é citada a seguir. São nove pontos de cada lado do corpo:

1. *Occipital.* Na parte posterior da cabeça, no local da inserção dos músculos occipitais.
2. *Supraespinhal.* Na origem do músculo supraespinhal, na borda superior interna da escápula.
3. *Trapézio.* No ponto médio do músculo trapézio.
4. *Glúteo.* No quadrante superior externo do glúteo.
5. *Trocânter maior.* Na saliência óssea do fêmur.
6. *Cervical inferior.* Na porção anterior das apófises transversas das vértebras cervicais C5-C7.
7. *Segunda costela.* Na união da segunda costela com o esterno.
8. *Epicôndilo lateral.* Dois centímetros no sentido distal da proeminência óssea do úmero.
9. *Joelho.* No ligamento adiposo medial.

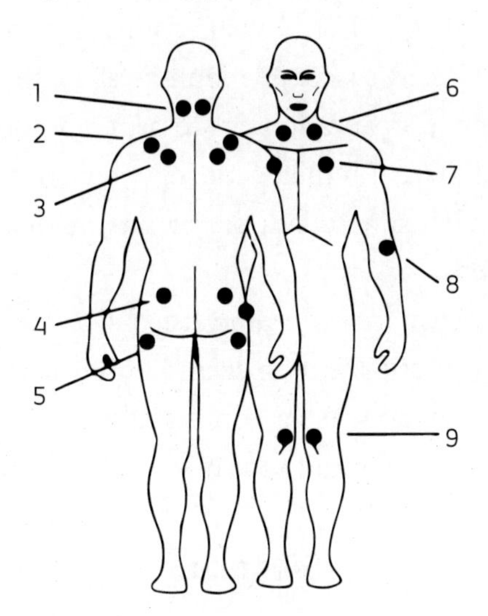

Esses locais são apenas pontos de referência, já que é possível provocar dor ao pressionar qualquer parte do corpo com uma força que normalmente não a geraria (essa sensibilidade aumentada denomina-se *alodinia*).

Existem outras alterações ao exame físico muito menos frequentes, mas que têm relação com a fibromialgia.

As pacientes podem ter pressão arterial baixa. Nesses casos, a pressão sistólica situa-se abaixo dos 100 milímetros de mercúrio.

Há outra alteração que, mesmo discreta, é importante no diagnóstico da fibromialgia. Percebe-se melhor em pessoas de pele clara; as veias superficiais das extremidades assumem a aparência de uma rede fina arroxeada que contrasta com a pele branca. Esse fenômeno, denominado *livedo reticular*, é mais aparente no frio e, ainda que se apresente também em outras doenças (como o lúpus eritematoso e a síndrome antifosfolipídica), é muito característico da fibromialgia.

Há uma relação entre a mobilidade excessiva das articulações e a fibromialgia. Isso é visto com mais frequência em adolescentes. Nesses casos, as meninas são capazes de tocar com o polegar a porção anterior do antebraço ou dobrar os cotovelos para trás. Também conseguem, ao se inclinarem para a frente, encostar toda a palma das mãos no chão sem dobrar os joelhos.

Os dados negativos ao exame físico são importantes para confirmar o diagnóstico; em especial, a ausência de dados objetivos de artrite que podem ser contrastados com a sensação de que as articulações, sobretudo das mãos, estão inchadas.

Sinopse

› Além da dor difusa, a imensa maioria das pacientes com fibromialgia acusa um cansaço que não melhora com o repouso, além de insônia, névoa mental, ansiedade e outros incômodos em várias partes do corpo.

› O exame físico demonstra uma sensibilidade exagerada à pressão sobre a pele em múltiplas regiões. Para fins de classificação, foram localizados 18 pontos anatômicos que são especialmente sensíveis à pressão.

10. O que mostram os exames de laboratório?

Em poucas palavras, pode-se dizer que todos os resultados das análises de laboratório são normais. Esse é outro argumento dos médicos não familiarizados com a fibromialgia para afirmar que a paciente não tem nada.

Na análise de uma pessoa suspeita de padecer da doença, deve-se constatar se certos parâmetros estão dentro dos limites normais, especificamente o hemograma completo, para descartar que a anemia seja uma causa alternativa da fadiga. Também se deve verificar se certas alterações imunológicas, como o fator reumatoide ou os anticorpos antinucleares, são negativas, pois, caso estejam presentes, podem sugerir o diagnóstico de doenças autoimunes como a artrite reumatoide, a síndrome de Sjogren ou o lúpus eritematoso. Como veremos mais adiante, essas patologias podem ser confundidas com a fibromialgia. Também mencionaremos a importância de uma interpretação cautelosa do exame de anticorpos antinucleares.

É pertinente verificar que as análises da função da glândula tireoide estejam dentro dos limites normais. A disfunção tireoidiana (seja por excesso ou por déficit) é outra causa de fadiga. Existe uma associação entre a presença de anticorpos antitireoidianos e dor crônica. Mesmo assim, deve-se confirmar que os exames de laboratório que refletem inflamação (especialmente a velocidade de sedimentação globular e a proteína C reativa) não estão alterados.

Os estudos radiográficos ou de ressonância magnética não mostram anormalidades significativas. No entanto, pode haver aqui um ponto de confusão. Depois dos 40 anos de idade, é habitual que, em pessoas normais, os exames mostrem um pouco de desgaste na coluna vertebral ou abaulamento dos discos localizados entre as vértebras, tanto em nível cervical como lombar, e isso pode levar ao seguinte sofisma diagnóstico:

A paciente tem dor na região do pescoço,

→ as radiografias (ou a ressonância magnética) demonstram desgaste nessa região,

∴ a dor ocorre devido ao desgaste da coluna cervical.

Uma argumentação equivocada semelhante pode surgir nos casos de dor na parte inferior das costas. O fato de as pacientes com fibromialgia sentirem também formigamento ou ardor nas extremidades falsamente sugere que tal desgaste esteja comprimindo as raízes nervosas, o que as levaria a ser submetidas a uma cirurgia de coluna cervical ou lombar.

É um fato muito bem comprovado que, em virtude da dor crônica em diversas partes do corpo, as pessoas com fibromialgia recebam intervenções cirúrgicas com mais frequência, desnecessariamente. Por isso é fundamental que tanto médicos como pacientes estejam familiarizados com a doença. A outra face da moeda também provoca confusões, já que o fato de ter fibromialgia não torna a pessoa imune a outras enfermidades. Portanto, o médico deve estar alerta também para esta última possibilidade e pesquisar, caso necessário, a possível presença de outra doença.

Sinopse

- Não existe um exame de laboratório que verifique a presença da fibromialgia.
- É pertinente constatar a ausência de alterações que revelem outras causas para a dor e/ou fadiga.
- As anormalidades radiográficas devem ser interpretadas com cautela, já que o desgaste dos ossos é um fenômeno comum depois dos 40 anos.
- Em virtude da dor crônica, as pacientes com fibromialgia são submetidas a intervenções cirúrgicas com mais frequência e de forma desnecessária.

11. Como se diagnostica?

Reconhecer a fibromialgia não é fácil, já que ela pode ser confundida com muitas outras doenças. Existe o chamado *perfil da fibromialgia,* caracterizado pela presença de dor crônica generalizada (com duração superior a três meses), fadiga constante, sono não reparador e parestesia (pontadas, formigamento, ardor nos braços ou pernas). É importante verificar se, além do perfil da fibromialgia, existe dor pela pressão nos lugares do corpo apontados anteriormente, e se os exames laboratoriais mencionados estão dentro dos parâmetros normais. Se todos esses fatores estão presentes, a probabilidade de diagnóstico de fibromialgia é alta.

Em 2010, foram propostos novos critérios para diagnosticar a doença, avalizados preliminarmente pelo American College of Rheumatology. Essas diretrizes, além de exageradas, são controversas, já que desconsideram um aspecto fundamental do diagnóstico: o exame físico da pessoa afetada. De alguma maneira, esses novos critérios fazem que a fibromialgia seja banalizada, não sendo reconhecida como uma doença real. Não se pode esquecer que o dr. Wolfe, o respeitável pesquisador que liderou o grupo responsável por esses critérios, declarou que a fibromialgia não é uma doença válida. Parece um paradoxo propor orientações diagnósticas para uma doença considerada inexistente. O tempo determinará o valor real dessas novas diretrizes.

Com finalidade meramente informativa, seguem os controversos critérios de 2010.

Uma pessoa com fibromialgia apresenta as seguintes características:

1. Um índice de dor generalizada igual ou maior do que 7, mais uma qualificação na escala de gravidade dos sintomas igual ou maior do que 5. Também está dentro do critério quem tem um índice de dor generalizada entre 3 e 6 com uma escala de gravidade de sintomas igual ou maior do que 9.

   O índice de dor generalizada é a soma destes 19 lugares possíveis de sentir dor: 1. área entre o pescoço e o braço esquerdo; 2. área entre o pescoço e o braço direito; 3. braço esquerdo; 4. braço direito; 5. antebraço esquerdo; 6. antebraço direito; 7. nádega esquerda; 8. nádega direita; 9. coxa esquerda; 10. coxa direita; 11. panturrilha esquerda; 12. panturrilha direita; 13. mandíbula esquerda; 14. mandíbula direita; 15. peito; 16. abdômen; 17. parte superior das costas; 18. parte inferior das costas; 19. pescoço.

2. Qualificação da escala de gravidade dos sintomas: soma das qualificações dos três sintomas seguintes, de acordo com a gravidade:

   1. Fadiga.
   2. Acordar cansado.
   3. Névoa mental.

   Para cada um desses sintomas, a paciente indica o grau de gravidade utilizando a seguinte escala:

0 = sem problema
1 = problema leve
2 = problema moderado
3 = problema grave

A escala de gravidade dos sintomas é a soma dos três sintomas mencionados mais a quantidade e a qualificação dos sintomas somáticos de acordo com a seguinte pontuação:

0 = sem sintomas somáticos
1 = poucos sintomas somáticos
2 = número moderado de sintomas somáticos
3 = muitos sintomas somáticos

Os sintomas somáticos são: dor muscular, intestino irritável, fadiga/cansaço, dificuldade para pensar ou lembrar, fraqueza muscular, dor de cabeça, dor/câimbras abdominais, adormecimento/formigamento, enjoo, insônia, depressão, constipação, dor na parte superior do abdômen, náusea, nervosismo, dor no peito, visão embaçada, febre, diarreia, boca seca, coceira, ruído na respiração, fenômeno de Raynaud, manchas/bolhas, zumbido nos ouvidos, vômito, ardor no esôfago, úlceras na boca, alteração na percepção dos sabores, convulsão, olhos secos, dificuldade para respirar, perda de apetite, erupções, sensibilidade ao sol, dificuldade para ouvir, hematomas aparecendo com mais facilidade, perda de cabelo, urina com mais frequência, dor ao urinar, espasmos na bexiga.

De acordo com esses novos critérios, para confirmar a doença é necessário descartar a possibilidade de outras patologias que possam ser confundidas, como as que aparecem neste capítulo.

Sinopse

- O diagnóstico da fibromialgia não é simples. Os sintomas podem ser confundidos com os de diversas outras doenças.
- As manifestações fundamentais para comprovar sua presença são: dor crônica generalizada e hipersensibilidade à pressão em diversas partes do corpo.
- Existem novos critérios para diagnosticar a fibromialgia, promulgados em 2010, mas que são controversos.

12. Doenças que podem ser confundidas com a fibromialgia

Há um grupo de doenças que podem ser confundidas com a fibromialgia porque também produzem dor generalizada e/ou fadiga profunda.

Artrite reumatoide

É outra doença reumática comum e que afeta aproximadamente 1% da população, principalmente mulheres. Produz inchaço em diversas articulações, além de uma dormência generalizada pela manhã. Em 90% dos casos, os exames laboratoriais mostram alterações específicas com a presença do fator reumatoide e/ou antipeptídeo cíclico citrulinado. A artrite reumatoide é potencialmente incapacitante. Sem o tratamento adequado, escoria lentamente as articulações. No exame físico, é fundamental descobrir se existe um inchaço perceptível em diversas articulações. Como destacamos anteriormente, quem tem fibromialgia costuma sentir que suas articulações estão inchadas, em especial nas mãos, mas o exame não detecta dados definitivos de inchaço.

Lúpus eritematoso

Essa enfermidade também afeta principalmente mulheres jovens. Integra o grupo das doenças *autoimunes* (cujo sistema imune, encarregado de evitar infecções, se torna hiperativo e começa a atacar regiões de seu próprio organismo, como se elas fossem estranhas). Também se manifesta de diversas formas. Provoca dor nas articulações, com menos inchaço do que na artrite reumatoide. Surgem erupções na pele, que podem se manifestar nas bochechas, com aspecto típico de "asas de borboleta". As pacientes ficam sensíveis à luz solar, que lhes provoca irritação na pele e febre. Em certos casos, acontecem danos nos rins, o que se manifesta pela presença de proteínas na urina. Em outros, as membranas que revestem o pulmão e o coração inflamam. O lúpus também produz fadiga constante.

As análises laboratoriais podem mostrar anemia e diminuição de um subgrupo de leucócitos chamados de *linfócitos*. O exame de sífilis, chamado VDRL, pode apresentar um resultado falso positivo. A presença de anticorpos antinucleares é observada em praticamente todos os casos, tornando esse resultado muito importante para identificar as pacientes com lúpus. Sobre isso, é preciso fazer um esclarecimento: esse é um exame muito delicado, porque os anticorpos antinucleares também podem estar presentes, ainda que em menor intensidade, em outras enfermidades, inclusive a fibromialgia, e até mesmo em pessoas saudáveis. No lúpus, os anticorpos antinucleares são detectados mesmo depois de o soro da paciente ter sido diluído diversas vezes; além disso, encontram-se anticorpos específicos, denominados *anti-DNA, anti-Sm, anti-Ro/SSA, anti-La/SSB* ou *anti-RNP.* No caso da fibromialgia, ao contrário, os anticorpos antinucleares aparecem apenas em diluições baixas e carecem de especificidade.

A confusão entre lúpus e fibromialgia é um problema real. Não é raro encontrar na prática médica pacientes diagnosticados e tratados como se tivessem lúpus e que, na verdade, têm só fibromialgia. Essa confusão acontece porque ambas as doenças afetam mais as mulheres e produzem uma dor difusa, cansaço e outros incômodos heterogêneos, como dor nas articulações, vermelhidão nas bochechas e desmaios. E, nos dois casos, os anticorpos antinucleares podem estar presentes. A diferença fundamental está no dano que o lúpus provoca na estrutura do corpo, envolvendo órgãos internos como os rins e o sistema hematológico, o que produz anemia ou redução do número de linfócitos. A fibromialgia, ao contrário, não prejudica a estrutura corporal. No lúpus, aparecem os anticorpos antinucleares específicos descritos acima; na fibromialgia, por sua vez, os anticorpos antinucleares não têm especificidade nenhuma.

A confusão entre lúpus e fibromialgia torna-se ainda mais complicada se considerarmos que pode ocorrer sobreposição entre as duas doenças. Ou seja, existem pacientes que têm as duas patologias ao mesmo tempo. É importante determinar se existe essa associação, já que os sintomas da fibromialgia não significam que o lúpus esteja fora de controle e não melhoram com o aumento da dose de medicamentos do tipo cortisona.

Polimialgia reumática

É SIMILAR À FIBROMIALGIA até no nome. A polimialgia reumática em geral afeta pessoas com mais de 50 anos, manifestando-se como uma dor difusa, localizada principalmente no pescoço e na região lombar, com uma importante rigidez muscular pela manhã. A diferença em relação à fibromialgia é que na polimialgia os exames laboratoriais refletem a inflamação. A velocidade de sedimentação globular frequentemente excede os 50 mm/h e, da mesma forma, a proteína C reativa aparece alterada. Outra diferença é que, em geral, na polimialgia reumática o início dos sintomas pode datar de semanas ou meses, ao passo que, na fibromialgia, esse início normalmente remonta a vários anos.

A resposta dramática da polimialgia reumática a doses baixas de cortisona – em contraste com a falta de resposta da fibromialgia – é outra disparidade significativa. Essa prova terapêutica é utilizada em alguns casos para diferenciar as duas doenças.

Espondiloartrite

As espondiloartrites compreendem um grupo de doenças que afetam predominantemente homens jovens. Quando a doença evolui, funde a coluna vertebral lentamente. Nesses casos, o diagnóstico é de espondilite anquilosante. Esse tipo de doença provoca dor na parte baixa das costas e, com frequência, as articulações e os tendões das pernas incham. As pessoas acordam rígidas e com o corpo dormente. No caso de mulheres afetadas, isso ocorre de maneira mais sutil e a dor pode ser mais intensa no pescoço. Um dos diferenciais em relação à fibromialgia está nas alterações detectadas pelas radiografias que a espondiloartrite provoca na coluna vertebral, em especial no nível das articulações sacroilíacas, que são as que ocupam a parte posterior da pelve. Existe um exame de laboratório que ajuda a diferenciar as duas doenças. Trata-se do HLAB27, cujo resultado é positivo na maioria das pessoas com espondiloartrite. Outro ponto de diferenciação é que as dores da espondiloartrite geralmente melhoram com anti-inflamatórios, o que não costuma ocorrer na fibromialgia.

Intolerância ao glúten

O GLÚTEN É UMA glicoproteína encontrada nas sementes de muitos cereais, incluindo o trigo. É composto de gliadina e gluteína. A gliadina é um composto potencialmente imunotóxico que pode desencadear várias doenças em indivíduos suscetíveis. A mais conhecida é a doença celíaca, que normalmente aparece na infância e provoca diarreia persistente e retardo no crescimento. Em geral ela desaparece com uma dieta livre de glúten. O diagnóstico é confirmado quando aparecem anticorpos contra a gliadina, o endomísio e/ou a transglutaminase tissular. A biópsia de intestino com amostra obtida por endoscopia mostra uma atrofia das vilosidades intestinais com inflamação crônica.

Em adultos, a intolerância ao glúten pode provocar sintomas que podem ser confundidos com os da fibromialgia. Fora a diarreia, que pode não ser tão aparente, as pacientes podem ter dor de cabeça, enjoos, depressão, pontadas de dor e formigamentos nos braços e/ou pernas.

Compressão dos troncos nervosos

OS NERVOS ENCARREGADOS DE enviar ao cérebro as diversas sensações saem da coluna vertebral pelos orifícios existentes entre as vértebras e percorrem as extremidades até alcançar as mãos e os pés. Quando os nervos são comprimidos na saída da coluna vertebral, podem ocasionar dor e formigamento em seu território de ação. Outra região em que os nervos podem ser comprimidos é no caminho para os pulsos, atravessando um canal estreito denominado *túnel do carpo.* Nesses últimos casos, o formigamento é sentido nos três primeiros dedos das mãos, como também acontece na fibromialgia. Infelizmente, as pacientes que sofrem desta última são submetidas, em algumas ocasiões, a cirurgias na coluna cervical ou lombar, ou a intervenções que tentam descomprimir o túnel do carpo. Os resultados dessas intervenções são, obviamente, insatisfatórios. Para evitar esses erros, é preciso ter em mente as seguintes considerações: quando se suspeita da compressão de uma raiz nervosa, é importante definir que os sintomas estejam bem localizados no território de ação do nervo supostamente comprimido, verificar se existem sinais claros de compressão pelo exame denominado *eletromiografia com velocidade de condução nervosa* e investigar com precisão se a pessoa em questão apresenta sintomas de fibromialgia.

Síndrome de Arnold-Chiari

É DEFINIDA PELA COMPRESSÃO da parte baixa do cerebelo no orifício que liga o crânio à coluna cervical. Esse fator produz fraqueza e formigamento nos braços. O caminhar pode ser instável. Também provoca dor no pescoço e na cabeça. O exame físico mostra, em algumas ocasiões, alterações nos nervos cranianos inferiores, que se manifestam como abolição do reflexo nauseoso. Com frequência, há fraqueza e atrofia dos músculos dos braços. Por isso, o reflexo nos braços pode diminuir, em contraste com um aumento do reflexo nas pernas. Nos pés, pode-se encontrar um reflexo anormal denominado *sinal de Babinski.* O diagnóstico confirma-se com imagens de ressonância magnética da base do crânio, que mostram enrijecimento e compressão das chamadas *amígdalas cerebelosas* no orifício maior que conduz à coluna cervical.

Na literatura médica, descreveu-se um pequeno grupo de pacientes diagnosticados com fibromialgia; contudo, depois de realizarem um cuidadoso exame, determinou-se que na verdade sofriam da síndrome de Arnold-Chiari. A cirurgia na base do crânio melhorou os sintomas. Esses casos causaram alvoroço entre alguns neurocirurgiões, principalmente norte-americanos. Alguns meios de comunicação divulgaram que a cirurgia da base do crânio podia curar a fibromialgia. Isso fez que vários pacientes se submetessem a operações arriscadas e desnecessárias. É importante diferenciar a fibromialgia da síndrome de Arnold-Chiari por meio de um exame clínico cuidadoso e, se necessário, recorrer a imagens de ressonância magnética.

Síndrome de Sjogren

É OUTRA DOENÇA REUMÁTICA comum. Assim como o lúpus, trata-se de uma enfermidade autoimune. Sua principal característica é a secura constante dos olhos e da boca, igualmente frequente na fibromialgia; no entanto, na síndrome de Sjogren a secura é resultado de uma inflamação crônica nas glândulas que produzem lágrimas e saliva, que pode ser comprovada nas biópsias das pequenas glândulas da parte interior dos lábios. A síndrome de Sjogren também pode produzir cansaço e dor nas articulações. Os exames laboratoriais mostram com frequência a presença do fator reumatoide e dos anticorpos antinucleares, em especial anticorpos específicos denominados *anti-Ro/SSA* e *anti-La/SSB*. Como no caso do lúpus, há pacientes que têm síndrome de

Sjogren e fibromialgia ao mesmo tempo. Outra possível razão de secura das mucosas em pessoas com fibromialgia é o uso de medicamentos antidepressivos.

Fases iniciais da esclerose múltipla

A ESCLEROSE MÚLTIPLA É uma doença que inflama o cérebro e a medula espinhal, deixando como sequela cicatrizes em diversas partes do sistema nervoso. Nas zonas afetadas, há perda da mielina, proteína que recobre e protege os nervos. A esclerose múltipla pode provocar fadiga profunda, mas também induz sensações anormais e fraqueza em pontos específicos das extremidades. A confusão com a fibromialgia acontece nos estágios iniciais da esclerose, quando há profunda fadiga, antes de o déficit neurológico aparecer.

Alterações na função da glândula tireoide

AQUI A FADIGA PODE aparecer nos dois extremos da disfunção: quando há hormônio tireoidiano em excesso (hipertireoidismo) ou em déficit (hipotireoidismo). A recomendação é que todos os pacientes detectados com fibromialgia façam os exames de função da tireoide, para determinar se a glândula está funcionando adequadamente. Já foi comprovado que a presença de anticorpos antitireoidianos está associada à dor crônica difusa.

Déficit na função das glândulas suprarrenais

É UMA DOENÇA RARA que faz que as glândulas que produzem cortisona atuem de maneira deficitária. Deve-se esclarecer primeiro que as glândulas suprarrenais (situadas acima dos rins) têm dois componentes: o córtex, que produz cortisona, e a medula, que produz adrenalina. As pessoas com deficiência na função do córtex suprarrenal apresentam cansaço crônico, fraqueza e perda de peso; em alguns casos, também uma pigmentação exagerada da pele e baixa pressão arterial. Como se pode observar, existem pontos de coincidência entre a fibromialgia e, em especial, a síndrome da fadiga crônica, que abordaremos mais adiante. A deficiência das glândulas suprarrenais pode se diferenciar da fibromialgia pela evolução mais curta dos incômodos e pela falta de produção de cortisona interna quando se injeta o hormônio que induz sua liberação (denominado *ACTH).*

Infecção crônica pelo vírus da hepatite tipo C

Esse vírus afeta o fígado de maneira indolente. A transmissão acontece, sobretudo, por meio de transfusão de sangue infectado. Outros meios são seringas contaminadas, o que atinge especialmente os viciados em drogas intravenosas. Algumas vezes o contágio acontece ao fazer tatuagens com instrumentos não esterilizados. A transmissão por transfusão de sangue é cada vez mais rara, já que na atualidade existem exames específicos para detectar esse vírus. A infecção crônica pelo vírus da hepatite C produz um cansaço profundo. Na maioria dos casos, os exames de funcionamento do fígado estão alterados. Por isso, é importante, diante da suspeita de fibromialgia, investigar se há antecedentes de transfusão sanguínea, de tatuagens ou do uso de drogas intravenosas e, caso necessário, pedir os exames oportunos para detectar o vírus da hepatite C.

Deficiência de vitamina D

A DEFICIÊNCIA DE VITAMINA D é frequente na população em geral. As causas mais comuns são: ingestão insuficiente, absorção deficiente em casos de doenças intestinais e até falta de exposição à luz solar. Os níveis normais de vitamina D no sangue variam de 30 a 74 nanogramas por mililitro. A deficiência dessa vitamina também é frequente na fibromialgia. As pacientes, em particular as com idade avançada, fazem poucas atividades ao ar livre. Entretanto, somente em casos raros de fibromialgia, com níveis muito baixos da vitamina (abaixo de 10 nanogramas por mililitro), parece haver uma resposta favorável ao seu suplemento crônico. Se o estilo de vida de uma pessoa com fibromialgia sugere a possibilidade de deficiência de vitamina D, é adequado medir os níveis sanguíneos dessa substância.

Dores nas articulações e nos músculos produzidas por medicamentos

VÁRIOS MEDICAMENTOS PODEM PRODUZIR dores musculares. Destacando-se por sua frequência, temos as chamadas "estatinas", utilizadas para corrigir os níveis altos de colesterol, e os denominados "inibidores de aromatase", usados no tratamento do câncer de mama.

No caso das estatinas, o sofrimento manifesta-se geralmente como fraqueza muscular, que pode ser acompanhada de dor. As análises laboratoriais com frequência mostram níveis elevados da enzima muscular creatina-quinase.

Até 60% das mulheres que tomam inibidores de aromatase para o tratamento do câncer de mama têm dores nas articulações. As dores podem chegar a níveis incapacitantes. Os incômodos musculares e/ou situações provocadas pelos medicamentos desaparecem semanas ou meses após a suspensão do fármaco.

Neste capítulo, vimos como é complicado diferenciar a fibromialgia de uma série de males que podem causar sintomas similares. Reiteramos: o problema não termina aqui. Deve-se sempre conhecer o outro lado da moeda. Ter fibromialgia, com suas múltiplas e variadas manifestações, não torna a paciente imune a outras doenças. Por isso ela deve ser examinada por um médico com conhecimentos amplos de medicina interna e familiarizado com as patologias descritas acima.

Sinopse

› Há um número significativo de doenças que podem ser confundidas com a fibromialgia.
› A diferença da fibromialgia para outras doenças é que, nos outros casos, costuma haver inflamações ou dano aparente na estrutura do corpo.
› Vários medicamentos podem provocar dor muscular.
› Algumas pessoas podem sofrer, ao mesmo tempo, de fibromialgia e de outra enfermidade reumática.
› Antes de qualquer intervenção cirúrgica para descomprimir o túnel do carpo ou uma raiz nervosa, deve-se descartar a fibromialgia como causa real dos sintomas.

13. Doenças que se sobrepõem à fibromialgia

Há um grupo de síndromes (uma *síndrome* é definida como um conjunto de sintomas que aparecem juntos e têm uma mesma causa subjacente) que apresenta manifestações semelhantes às da fibromialgia. Já mencionamos várias doenças localizadas em alguma parte do corpo, como a síndrome do intestino irritável, a disfunção temporomandibular e a cistite não infecciosa. Agora abordaremos outras que compartilham muitas características com a fibromialgia e que muito provavelmente também se desenvolvem de maneira semelhante. Falaremos da síndrome da fadiga crônica, da encefalomielite miálgica, da síndrome da guerra do Golfo, da sensibilidade química múltipla, da distrofia simpático-reflexa e da síndrome pós-pólio.

Síndrome da fadiga crônica, agora chamada de encefalomielite miálgica

Nessa doença, há uma fadiga profunda crônica (com mais de seis meses de duração) que não pode ser explicada por nenhuma outra doença. A fadiga não alivia com o repouso e reduz de maneira substancial as atividades da pessoa afetada. Segundo os critérios clássicos de diagnóstico, fora a fadiga, as pacientes devem apresentar ao menos quatro dos oito sintomas abaixo, também de maneira persistente:

1 Dor nos músculos.
2 Dor nas articulações.
3 Dor de garganta.
4 Gânglios do pescoço inchados e sensíveis à apalpação.
5 Transtornos de concentração e de memória.
6 Dor de cabeça.
7 Mal-estar depois de exercício.
8 Sono não reparador.

Como se pode observar, os sintomas são muito parecidos com os da fibromialgia, já que quatro dos oito critérios estão relacionados com dor. As diferenças são sutis; assim, as manifestações da síndrome da fadiga crônica estão mais ligadas a algum tipo de infecção viral subjacente, já que, com frequência, as pacientes sentem febre, e a dor de garganta com os gânglios inflamados indicaria uma ativação persistente do sistema de defesa do organismo. Por isso, muitos dos esforços de investigação dessa doença estão focados em buscar uma infecção viral, sem que, até o momento, se tenha encontrado um vírus específico. Alguns especialistas no tema afirmam que a fibromialgia e a síndrome da fadiga crônica são claramente diferentes. No entanto, ao se aplicar os critérios de classificação vigentes, a maioria das pessoas com fibromialgia cumpre os critérios de fadiga crônica e vice-versa.

Em muitos casos, a diferença entre essas duas síndromes reside, primordialmente, na intensidade do sintoma principal, seja a dor generalizada na fibromialgia ou a fadiga extrema na outra síndrome. Parece haver um consenso entre diversos grupos de pacientes dessa doença, e também entre estudiosos do tema, de que o nome *síndrome da fadiga crônica* trivializa o sofrimento, causando a impressão de que os pacientes são pessoas normais que só estão cansadas ou são preguiçosas. Um grupo de especialistas internacionais reuniu-se em 2011 e propôs o nome *encefalomielite miálgica* para designar os casos graves dessa doença. Por isso, é provável que a expressão *síndrome da fadiga crônica* caia logo em desuso.

Na encefalomielite miálgica há uma fadiga física e mental que deixa a paciente prostrada durante dias em resposta a esforços menores. Essa fadiga incapacitante é acompanhada dos sintomas dolorosos e inflamatórios descritos acima.

Síndrome da guerra do Golfo

UMA PATOLOGIA MUITO INTERESSANTE para a pesquisa da fibromialgia é a chamada *síndrome da guerra do Golfo.* Na primeira guerra do Golfo Pérsico, em 1991, tanto os Estados Unidos como o Reino Unido mandaram jovens (na maioria homens) para combater no Iraque. É óbvio que eram recrutas sadios e fortes, cujo estado de saúde foi atestado pelos rígidos exames médicos militares. Porém, ao voltarem da guerra, um terço dos combatentes desenvolveu uma doença que, com frequência, se tornou incapacitante e crônica. As manifestações iniciais eram fadiga extrema, dores musculares e nas articulações e dificuldade de concentração mental e de memória, assim como uma leve febre e diarreia. A princípio, a doença foi minimizada como "nervosismo por estresse", porém pesquisas recentes mais profundas têm mostrado alterações no sistema nervoso autônomo muito similares às encontradas na fibromialgia. Existe a teoria de que as tropas foram expostas a algum tipo de intoxicação que alterou o sistema nervoso autônomo e desencadeou a doença, mas essa hipótese ainda não foi confirmada. A importância para a pesquisa da fibromialgia reside no fato de que, na síndrome da guerra do Golfo, existe a certeza de que os indivíduos afetados eram sadios, e também que o agente desencadeante tem uma localização precisa, tanto no tempo (o período que durou a guerra) como no espaço (Iraque). Essas peculiaridades tornam mais fácil investigar os componentes da doença.

Sensibilidade química múltipla

É UMA HIPERSENSIBILIDADE A agentes químicos ou ambientais que gera irritação respiratória, digestiva, psicológica ou cutânea. Acredita-se que diversas substâncias artificiais irritam de maneira progressiva as regiões do corpo mais expostas ao meio ambiente. Segundo os estudos de Fernández-Solá e colaboradores, os principais agentes sensibilizantes são: derivados de combustíveis orgânicos (petróleo) e compostos clorados (solventes) e fosforados (inseticidas). Também se propõe que a superexposição a diversos tipos de ondas eletromagnéticas pode causar hipersensibilidade. Diante da exposição a níveis baixos desses agentes, pode haver irritação da pele, coceira nos olhos, nariz e garganta, tosse, sufocação, náusea, diarreia, fadiga, entorpecimento, dor de cabeça e dores musculares. Os sintomas melhoram ao distanciar-se das substâncias sensibilizantes.

Distrofia simpático-reflexa

OS ORTOPEDISTAS ESTÃO FAMILIARIZADOS com uma síndrome denominada *distrofia simpático-reflexa.* Tipicamente, ela começa depois de um traumatismo no braço ou na perna. Semanas depois, as pacientes desenvolvem uma ardência dolorosa na extremidade afetada, com sensibilidade exagerada ao toque e inchaço difuso no local. Os sintomas tornam-se persistentes. Com o passar do tempo, o lugar afetado pode atrofiar. Em algumas ocasiões, sente-se queimação também na extremidade oposta.

Tem-se percebido que o tráfego simpático na extremidade prejudicada aumenta e o bloqueio das vias simpáticas alivia a dor. A distrofia simpático-reflexa é um bom exemplo de dor mantida pelo sistema simpático e, como veremos adiante, tem muitos pontos em comum com a fibromialgia. Diante disso, defendemos que esta seja uma forma generalizada de distrofia simpático-reflexa. Essa doença também é chamada de "síndrome complexa de dor regional".

Síndrome pós-pólio

Outra doença semelhante à fibromialgia é a *síndrome pós-pólio.* A poliomielite foi uma terrível enfermidade que afetou muitas crianças de todas as partes do mundo até a primeira metade do século 20. Ela é causada por um vírus que provoca danos nas células nervosas da medula espinhal encarregadas de dar ordens aos músculos das extremidades. As crianças afetadas desenvolvem paralisia e atrofia progressiva das pernas e dos braços. Nos casos graves, os músculos respiratórios também ficam paralisados, o que provoca a morte dos pequenos.

Um dos triunfos mais fascinantes e incontestáveis da medicina científica moderna foi a invenção da vacina contra a poliomielite, desenvolvida pelos doutores Salk e Sabin em meados do século 20; graças a ela, essa devastadora doença praticamente foi erradicada da Terra.

Entretanto, tem-se observado que, décadas depois do ataque da poliomielite, alguns pacientes apresentam debilidade e atrofia de músculos que não tinham sido afetados antes e, o que é mais frequente, se acentua a debilidade dos músculos previamente afetados sem que exista outra causa para explicar essa deterioração. Essas alterações com frequência são acompanhadas de uma sensação de fadiga profunda e dores difusas nos músculos e nas articulações, semelhantes aos que se manifestam nos pacientes com fibromialgia.

Não foi esclarecida a causa da síndrome pós-pólio. Acredita-se que a recaída na debilidade e na atrofia muscular aconteça porque os nervos espinhais que resistiram ao ataque original da poliomielite aumentam em uma tentativa de suprir a função dos nervos danificados. Esse crescimento acontece na denominada *placa neuromuscular,* o local em que nervo e músculo se unem. Os nervos suplentes acabam se esgotando, dando lugar à fraqueza muscular.

Sinopse

- Há um grupo de doenças semelhantes à fibromialgia que provavelmente têm causas e mecanismos de desenvolvimento similares.
- A fibromialgia compartilha muitas características com a síndrome da fadiga crônica, a encefalomielite miálgica, a síndrome da guerra do Golfo, a sensibilidade química múltipla, a distrofia simpático-reflexa e a síndrome pós-pólio.

14. A veracidade da dor

Ao discutir os mecanismos de desenvolvimento da fibromialgia, é fundamental estabelecer primeiro se a dor que as pacientes sentem é real ou imaginária.

A ausência de evidências de dano nos lugares em que se sente dor (músculos, articulações e ligamentos), somada à normalidade dos exames laboratoriais, fez que alguns pesquisadores pensassem que a dor da fibromialgia fosse imaginária ("É coisa da sua cabeça"). Contudo, pesquisas recentes mais rigorosas apontam que a dor é real.

Diversos grupos de pesquisadores têm percebido que os níveis de um elemento em particular, denominado *substância P*, ficam muito altos no líquido cefalorraquidiano das pacientes com essa doença. A substância P é a transmissora tradicional da dor. Ela se acumula nos gânglios das raízes dorsais da medula espinhal, e sua ação primordial é facilitar e amplificar essa sensação. O líquido cefalorraquidiano é um fluido presente no sistema nervoso central, e envolve diretamente todas as estruturas do cérebro.

Também se observou que o líquido cefalorraquidiano das pacientes com fibromialgia contém níveis muito elevados de outro elemento denominado *fator de crescimento neural.* Em modelos animais, esse fator induz a uma conduta dolorosa persistente e, o que é mais importante, a alterações estruturais nos gânglios das raízes dorsais com gemulações dos terminais simpáticos. Como apresentado no Capítulo 3, os gânglios das raízes dorsais são centros fundamentais de modulação da dor. Em estudos clínicos preliminares, tentou-se usar esse fator de crescimento neural como tratamento do Mal de Alzheimer, mas os testes foram suspensos porque os pacientes desenvolveram uma intensa dor nas costas.

Outra evidência a favor da veracidade da dor provém das novas técnicas de imagens cerebrais. Com exames de ressonância magnética funcional, demonstrou-se que, nas pacientes com fibromialgia, os estímulos normalmente não dolorosos são capazes de ativar os centros cerebrais que percebem a dor.

Sinopse

› Há evidências contundentes que demonstram que a dor da fibromialgia é real.

› O líquido cefalorraquidiano, que está em contato íntimo com o cerebro, contém concentrações exageradas das substâncias transmissoras da dor.

› As novas técnicas de diagnóstico por imagem do cérebro mostram que, nas pacientes com fibromialgia, os estímulos inócuos são dolorosos.

15. Causas das doenças: respostas encontradas pela pesquisa científica

O conceito de doença

A MEDICINA DEDICA-SE AO estudo das enfermidades. No entanto – e de maneira surpreendente –, não há uma definição de doença universalmente aceita. A corrente reducionista propõe que a essência da doença é uma lesão visível na estrutura do corpo. Em contrapartida, uma visão integral propõe que a essência é a disfunção. Estamos de acordo com esta última acepção. Dano orgânico sem disfunção não é doença. Em compensação, disfunção com ou sem dano orgânico é doença. Esta pode ser definida como qualquer alteração no funcionamento do organismo que provoque sofrimento e diminua a longevidade.

O avanço no entendimento das múltiplas doenças que afligem a humanidade não ocorreu por geração espontânea, nem pela descoberta genial de algum iluminado. Foi o resultado de árduos trabalhos de diversos profissionais que seguiram um método ordenado e verificável, *a pesquisa científica.*

A pesquisa científica

DO PONTO DE VISTA filosófico, a pesquisa científica pode ser definida como a busca do novo, do útil e, sendo possível, do belo. No caso da medicina, a pesquisa objetiva primordialmente encontrar as causas das doenças para depois poder curá-las ou preveni-las. Graças à pesquisa científica, surgiram avanços importantes no conhecimento e no tratamento de múltiplas doenças; isso, indubitavelmente, tem melhorado e prolongado a qualidade de vida dos seres humanos. O caso da pesquisa científica que culminou com a erradicação da poliomielite é um belíssimo exemplo. Muitas enfermidades têm sido dominadas; isso, porém, é uma batalha infinita. Constantemente aparecem novas doenças, e há uma variedade de enfermidades crônicas incuráveis das quais ainda falta muito para se conhecer.

É fundamental que toda pesquisa científica, em particular as com participação de seres humanos, siga regulamentos éticos estritos. Os participantes devem ser informados de maneira detalhada sobre o propósito da pesquisa e também se existe algum tipo de risco nas experiências a que serão submetidos. A colaboração das pessoas deve ser totalmente voluntária, sem nenhum tipo de coerção. Deve haver um comitê de ética que aprove e supervisione os projetos realizados nas instituições de pesquisa.

O pesquisador deve ser uma pessoa criativa, obsessiva e apaixonada, com conhecimento profundo do tema que pretende estudar. O método científico gira em torno de uma pergunta básica: o que causa a fibromialgia? Para dar a resposta, elabora-se uma hipótese que deve ser uma tentativa de explicar a pergunta fundamental. Mais adiante, é necessário delinear com todos os detalhes os métodos que deverão ser seguidos para colocar a hipótese à prova. Os estudos clínicos mais confiáveis são aqueles em que um grupo de pacientes com determinada doença é comparado a um grupo de pessoas que não têm a doença. Quando se avalia a eficácia de algum medicamento, é necessário compará-lo com uma substância inerte de aspecto similar. Isso evita falsas interpretações dos resultados por fatores não previstos, como o famoso efeito placebo do qual falamos no Capítulo 4. É importante que, na definição dos resultados, o pesquisador não saiba quem pertence ao grupo de pacientes e quem pertence ao grupo de controle, pois evita distorções nas comparações. As análises estatísticas dos resultados são concluídas para definir se há diferenças reais, não imputáveis ao acaso, entre o grupo de pacientes e o de controle. Dali, saem algumas conclusões que, pouco depois, gerarão novas perguntas. O artigo científico deve ser avaliado e criticado por outros pesquisadores para, finalmente, ser publicado em uma revista científica. A pesquisa é um processo árduo e silencioso, e deve ser realizada fora dos refletores da publicidade. Esse processo é fundamental para o avanço dos diversos ramos do conhecimento. A pesquisa nunca pretende ser perfeita, mas sempre aprimorada e corroborável.

Como disse Schopenhauer:

A tarefa não é tanto ver o que ninguém viu ainda,
mas pensar o que ninguém pensou
sobre algo que todos veem.

A verdade científica nunca é absoluta. De maneira indefectível, a verdade de hoje será substituída amanhã por outra mais avançada. É isso o que fascina na ciência. As respostas aos enigmas médicos não são encontradas no passado, mas serão descobertas de maneira progressiva no futuro.

Sinopse

- A doença pode ser definida como qualquer alteração no funcionamento do organismo que provoque sofrimento ou diminua a longevidade.
- Graças à pesquisa científica, muitas doenças foram dominadas.
- A expectativa de vida dos humanos se prolongou. Mesmo assim, a luta é interminável, pois existem inúmeras doenças, como a fibromialgia, em que ainda há muito para avançar.

16. Por que muitos médicos não entendem a fibromialgia?

Os grandes avanços nos diversos campos da ciência no século 20 foram produto de uma abordagem linear e reducionista dos problemas por resolver. Por linear entende-se a busca de uma relação direta entre causa e efeito de um fenômeno. Nos sistemas lineares, a intensidade do estímulo é proporcional à magnitude da resposta. Assim trabalham as máquinas: quanto mais força aplicamos ao pedal, mais rápido avança a bicicleta. Já o método reducionista fragmenta o fenômeno estudado em diversas partes e pesquisa cada fragmento de maneira isolada, com o objetivo de entender o todo. Uma vez mais recorremos ao exemplo das máquinas. Se um relógio quebra, o relojoeiro com atitude reducionista examina cada uma das peças para determinar qual das engrenagens está quebrada. O paradigma linear e reducionista propõe que "o todo é igual à soma de suas partes".

No campo da medicina, o método linear baseia-se na correlação anatomoclínica. E o conjunto de sintomas e sinais (efeito) deve corresponder a uma lesão estrutural bem definida (causa). Por exemplo, o início súbito de dor no peito acompanhado de palidez e suor frio (efeito) deve-se a um infarto, que é a obstrução de uma artéria que irriga o coração (causa). De acordo com essa maneira de pensar, se não se encontra correlação anatomoclínica, significa que a doença não existe, pertencendo ao campo da psiquiatria. Esse tipo de abordagem é incapaz de explicar doenças complexas como a fibromialgia.

O conhecimento médico atual é imenso. Para conseguir abarcá-lo, ele foi fragmentado de maneira artificial na prática médica em especialidades. Essa forma de reducionismo faz que os médicos especialistas tenham uma visão profunda, porém parcial, das pacientes e de seu sofrimento. O oftalmologista, o cardiologista ou o proctologista estudam a fundo determinadas partes do corpo humano, mas com frequência perdem a visão integral do indivíduo. Isso pode ser útil para aliviar doenças lineares, como catarata, infarto ou hemorroida, mas se revela ineficiente e oneroso no caso de problemas complexos como a fibromialgia. Os múltiplos sintomas provocados por essa doença obrigam as pessoas a consultar diversos especialistas. Estes, por sua vez, pedem diversos exames para investigar a causa dos sintomas relacionados a seu restrito campo de ação. Essa fragmentação do paciente não faz que o diagnóstico seja mais claro e torna-se fonte de frustração para todos.

No século 20, o método linear-reducionista teve como resultado um impressionante avanço no entendimento de múltiplas doenças lineares. O prodigioso desenvolvimento do diagnóstico por imagem permitiu visualizar com todos os detalhes o interior do corpo humano sem a necessidade de abrir a pele. Agora é possível definir a lesão interna que causa os sintomas da maioria das doenças infecciosas ou cancerosas. O microscópio é cada dia mais minucioso e permite-nos conhecer a estrutura das partes recônditas das células. Graças a ele, temos acesso a um mundo que, por ser diminuto, era antes invisível. Contudo, essa visão linear-reducionista vigente é incapaz de explicar a fibromialgia.

O conhecimento científico avança inexoravelmente. Existe agora uma nova visão médica baseada na teoria do caos e da complexidade. Como veremos no próximo capítulo, esse novo paradigma integral provém de um marco teórico coerente para a fibromialgia e outras doenças complexas.

Sinopse

- A medicina tecnicista tem uma visão fragmentada e inerte das doenças. Demanda que os sintomas sejam explicáveis por uma lesão bem definida na estrutura do corpo.
- As especialidades médicas fragmentam de maneira artificial o paciente e seu sofrimento.
- Essa visão, denominada *linear e reducionista*, é incapaz de compreender a fibromialgia.
- Existe uma nova realidade científica, que parte de uma perspectiva integral e dinâmica do paciente e de seu sofrimento. Esse enfoque novo explica doenças complexas como a fibromialgia.

17. As novas ciências da complexidade ajudam a entender a fibromialgia

Até poucas décadas atrás, os cientistas viam o universo como um lugar ordenado e linear, com uma relação clara entre causa e efeito dos fenômenos. No entanto, com o tremendo avanço dos cálculos matemáticos, o advento da *cibernética* e as simulações em computadores, descobriu-se que o universo está cheio de sistemas com comportamento aparentemente desordenado nos quais não existe uma relação entre a causa e o efeito dos acontecimentos. São os denominados *sistemas complexos.*

Um sistema complexo é composto de múltiplos elementos entrelaçados. Da interação constante entre essas unidades surgem propriedades novas ("*emergentes*"), que não são explicáveis pelas características dos elementos estudados de maneira isolada. Esses sistemas têm sensores que lhes permitem detectar as mudanças do meio ambiente, com o objetivo de se adaptar a elas para preservar sua integridade. Os sistemas adaptativos complexos são heterogêneos e abundam em todos os âmbitos do universo. As sociedades democráticas, as bolsas de valores, as colônias de formigas e os cardumes são alguns exemplos. No corpo humano, o protótipo de sistema adaptável complexo é o sistema nervoso autônomo, do qual falaremos mais adiante.

Outro conceito fascinante derivado da ciência da complexidade é o *fractal.* Trata-se de uma estrutura geométrica caracterizada por sua "autossemelhança". Isso significa que ele apresenta uma aparência similar em diferentes escalas. Muitos sistemas adaptáveis complexos têm estrutura fractal, a qual lhes confere *resiliência.* Resiliência é a combinação de força e elasticidade. Os grandes órgãos do corpo humano têm geometria fractal. O pulmão é um bom exemplo. Os brônquios dividem-se milhares e milhares de vezes. A aparência macroscópica da árvore brônquica é idêntica às subdivisões dela mesmo, que só podem ser observadas pelo microscópio. As estruturas fractais têm uma capacidade extraordinária de absorção e intercâmbio. A beleza intrínseca dos fractais é talvez a evidência mais contundente de sua veracidade. Como disse Mandelbrot: "Um *fractal* é uma maneira de ver o infinito com o olho da mente".

Nem os fractais nem os sistemas complexos podem ser entendidos com o estudo de seus componentes individuais. Aqui a aproximação linear e reducionista é totalmente ineficaz. A ciência da complexidade confirma o postulado aristotélico: "O todo é diferente da soma de suas partes".

As ciências da complexidade reafirmam que o corpo humano não é uma máquina. Ele não pode ser compreendido se cada uma das suas partes for analisada separadamente. Somente pode ser entendido por meio da interação de seus diversos componentes físicos e mentais com o meio ambiente. Dessa interação surgem novas propriedades ("emergentes"), não explicáveis pelo estudo das partes isoladas. Analisemos, por exemplo, o pensamento, que é a habilidade mais sublime dos humanos. O pensamento é produto da interação de um número incontável de neurônios. Contudo, por mais que pesquisemos os neurônios individualmente, não encontraremos nem indícios nem vestígios de pensamentos.

A ciência da complexidade ensina-nos que a essência da saúde é a manutenção da resiliência dos nossos sistemas para nos adaptarmos ao meio ambiente. Se nossos sistemas de adaptação perdem a resiliência, eles se tornam mais rígidos, e doenças como a fibromialgia podem surgir.

Esses novos conhecimentos têm gerado uma atitude médica diferente em relação à saúde e à doença, *o holismo científico*. Essa postura propõe que a melhor maneira de enfrentar doenças complexas como a fibromialgia é considerar as pessoas como um "todo", como uma unidade biopsicossocial em constante adaptação ao meio ambiente. Essa perspectiva reconhece que as doenças físicas crônicas necessariamente têm uma repercussão psicológica e vice-versa. Por sua vez, o entorno impacta de maneira definitiva a saúde dos seres humanos.

O termo *holismo* geralmente está associado à medicina complementar ou alternativa. É visto como um conceito esotérico sem base científica. A teoria do caos e da complexidade fornece uma visão integral dos fenômenos biológicos com uma base científica.

Deve-se enfatizar que o reducionismo e o holismo científico não são filosofias opostas, e sim complementares. Ambas as visões permitem uma compreensão melhor da realidade. É fascinante observar como o conhecimento da física, considerada uma ciência dura e rígida, evoluiu para um pensamento sistêmico, como o divulgado de maneira magistral pelo físico e filósofo austríaco Fritjof Capra em seu livro *A teia da vida*.

Sinopse

› O universo está cheio de sistemas complexos, que não podem ser entendidos pela análise de seus componentes isoladamente.

- Sendo assim, o corpo humano tem sistemas complexos flexíveis, que permitem a adaptação às constantes mudanças do meio ambiente.
- O principal sistema adaptativo dos humanos é o sistema nervoso autônomo.
- A perda da elasticidade (resiliência) desses sistemas complexos pode ocasionar doenças como a fibromialgia.
- Para entender esse tipo de doença, são necessárias aproximações integrais, ver o ser humano em seu conjunto: suas alterações físicas, sua repercussão emocional e a influência de um meio ambiente na preservação da saúde ou no desenvolvimento de doenças.

18. As causas da fibromialgia

Qualquer hipótese que tente explicar as causas da fibromialgia deve não só dar uma explicação lógica ao porquê de uma dor tão intensa, mas também esclarecer as razões da presença, em uma mesma pessoa, de sintomas tão díspares como fadiga, insônia, intestino irritado e outras alterações apontadas no Capítulo 8.

Predisposição genética

Existe uma predisposição genética para o aparecimento da fibromialgia. Os familiares diretos das pessoas afetadas têm oito vezes mais probabilidade de desenvolver a doença do que a população em geral. Os estudos em gêmeos sugerem que aproximadamente 50% dos fatores que acarretam a fibromialgia são herdados geneticamente, enquanto a outra metade está relacionada ao meio ambiente. Já foi dito em capítulos anteriores que as pessoas com fibromialgia têm com mais frequência variações genéticas associadas a uma enzima que não expele a adrenalina do corpo de maneira adequada. Também foi mencionado que os receptores de adrenalina encarregados de manter a pressão arterial costumam ser defeituosos.

Fatores ambientais

A fibromialgia pode aparecer depois de diferentes episódios estressantes. Por exemplo: traumatismos físicos (acidente automobilístico), traumatismos emocionais (abuso sexual, morte de um familiar, perda do emprego, divórcio), além de diversos tipos de infecção.

Os primeiros estudos científicos destinados a esclarecer os mecanismos de desenvolvimento da fibromialgia foram levados a cabo pelos pesquisadores canadenses Moldofsky e Smythe. Eles demonstraram alterações no eletroencefalograma dos pacientes com fibromialgia durante as horas de sono. Essas anomalias caracterizam-se por uma invasão de ondas alfa (que se traduzem em estado de alerta) nos períodos de ondas delta (que indicam um sono profundo) e têm como consequência um sono fragmentado, não reparador. Outra contribuição desses pesquisadores foi mostrar que os sujeitos sadios, com as etapas profundas do sono interrompidas de maneira constante, desenvolvem, depois de vários dias, sintomas de fibromialgia.

Mais tarde, foram descobertos os transtornos hormonais. Os hormônios são substâncias produzidas por diversas glândulas (pituitária, tireoide, suprarrenal etc.) e exercem sua ação em um lugar distante de sua produção. Foi observado que, na fibromialgia, existem alterações no eixo hormonal que produz o cortisol. Trata-se de uma substância muito parecida com a cortisona; é produzida no córtex das glândulas suprarrenais, serve de resposta a qualquer tipo de estresse e encarrega-se de fornecer energia para que o corpo responda às demandas adicionais provocadas pelo estímulo estressante. Notou-se que os pacientes com fibromialgia produzem menos cortisol do que seria adequado diante de diferentes tipos de estímulo.

Outro hormônio produzido de maneira anormal é o do crescimento. Essa substância é produzida na glândula pituitária, que está no centro do cérebro. É gerada primordialmente à noite, durante as etapas profundas do sono. O hormônio do crescimento é o responsável pelo aumento do corpo dos indivíduos durante a adolescência. Na idade adulta esse hormônio é produzido em menor quantidade e sua função é, entre outras, a de preservar a massa muscular. Foi provado que um subgrupo de pacientes com fibromialgia apresenta uma produção deficiente desse hormônio.

As anomalias encontradas nos exames eletroencefalográficos e hormonais poderiam dar uma explicação plausível para os transtornos do sono e talvez para o cansaço, mas não explicam o sintoma principal da fibromialgia: a dor.

O transmissor primário da dor é a substância P. Vários pesquisadores descobriram que as pessoas com fibromialgia têm níveis elevados dessa substância no líquido que envolve o cérebro. Em geral, são descritos níveis exagerados de outro transmissor da dor, o fator de crescimento neural.

Os novos métodos de imagem para estudar o cérebro conseguem detectar alterações sutis, antes não vistas. Utilizando uma nova tecnologia chamada SPECT (tomografia computadorizada com a emissão de fóton único), demonstrou-se que pacientes com fibromialgia têm uma diminuição do fluxo sanguíneo em certas zonas do cérebro, especialmente no tálamo, que é um centro encarregado de inibir as sensações dolorosas e também regula a função do sistema nervoso autônomo. Como mencionado anteriormente, esses novos métodos de imagem têm mostrado que, em pacientes com fibromialgia, as áreas cerebrais que registram a dor ativam-se como resposta a estímulos inócuos.

Dessa forma, são encontradas irregularidades em alguns neurotransmissores. Os impulsos nervosos propagam-se como correntes elétricas que viajam ao longo da fibra nervosa. No lugar de conexão (as sinapses) são produzidas substâncias que atuam como mensageiros, permitindo a comunicação entre diferentes fibras e, por consequência, a continuidade dos impulsos nervosos; essas substâncias são os *neurotransmissores.* A serotonina é uma dessas substâncias e gera múltiplos efeitos, sendo um deles o de melhorar o estado de espírito das pessoas. Em pacientes com fibromialgia, foram encontrados níveis diminutos de produtos similares à serotonina.

Um avanço importante no estudo da dor da fibromialgia é o reconhecimento de que esses pacientes têm uma sensibilidade nas vias centrais da dor. Podemos dizer que os nervos encarregados de transmitir a dor ficam irritados de maneira permanente. Comprovou-se que as pacientes apresentam o chamado *fenômeno de ressonância* ou *de potencialização* dos estímulos dolorosos. Esse fenômeno – explicado no Capítulo 3 – está ligado a interconexões anormais no nível da medula espinhal, que fazem que a dor seja percebida de maneira mais intensa e constante e, além disso, um estímulo normalmente inócuo – como apertar com força moderada o braço – seja percebido como doloroso.

Nos últimos anos, uma atenção especial vem sendo dedicada às *células gliais* da medula espinhal. Elas são mediadoras da dor crônica. Durante muito tempo, supunha-se que essas células só serviam como estrutura de sustentação dos neurônios. Estudos recentes, no entanto, demostram que, depois de um forte traumatismo, os neurônios produzem substâncias que podem ativar as células gliais, como a *fractalicina.* Uma vez ativadas, as células gliais secretam substâncias chamadas *citocinas pró-inflamatórias,* que podem induzir à dor. Os pesquisadores estão investigando se existe alteração glial na fibromialgia.

Sinopse

- › Graças à pesquisa científica, o conhecimento sobre a fibromialgia tem avançado notavelmente nos últimos anos.
- › Existe uma predisposição genética para o desenvolvimento dessa doença.
- › Há fatores disparadores bem reconhecidos: traumas físicos, emocionais e vários tipos de infecção.
- › O sono das pacientes fica fragmentado e é pouco reparador.
- › O líquido que envolve o cérebro das pessoas com fibromialgia tem níveis exagerados de substâncias que provocam dor.
- › Existe uma resposta deficiente da cortisona interna a diversos tipos de estímulo.
- › Um subgrupo de pacientes apresenta níveis diminutos de hormônio do crescimento.
- › As novas técnicas de imagem têm mostrado uma redução do fluxo sanguíneo no tálamo cerebral, que é a zona encarregada de inibir a dor.
- › Os níveis de substâncias parecidas com a serotonina são baixos.
- › Há um estado de "sensibilidade central" no qual as vias nervosas encarregadas de transmitir dor ficam constantemente irritadas.

19. Nossos avanços no entendimento da fibromialgia: uma aproximação holística

Há muitos anos o grupo de pesquisadores do Instituto Nacional de Cardiología do México dedica-se a indagar as causas da fibromialgia utilizando primordialmente tecnologias cardiológicas avançadas. O instituto em que temos o privilégio de trabalhar leva o nome de seu fundador, o visionário cientista-humanista Ignacio Chávez, que defendia um enfrentamento integral do sofrimento humano. Nossa colaboração tenta homenagear sua obra.

Nossa hipótese de trabalho, há muitos anos, é a de que todas as manifestações da fibromialgia poderiam ser explicadas por uma alteração no funcionamento do sistema nervoso autônomo. As características desse sistema primordial de regulação interna e de adaptação ao meio ambiente estão detalhadas no Capítulo 6. O sistema nervoso autônomo é o principal componente de resposta ao estresse. Até poucos anos atrás, seu funcionamento era praticamente intangível, mas a situação foi mudando radicalmente com o advento de um novo método baseado em cálculos computacionais: a análise da variabilidade do ritmo cardíaco – as características dessa nova técnica foram mencionadas no Capítulo 6.

Utilizando essa tecnologia, estudamos um grupo de 30 pacientes com fibromialgia e o comparamos com um grupo de 30 mulheres sadias. Com o uso de um gravador portátil, foram registrados os batimentos cardíacos enquanto as pessoas faziam suas atividades normais, durante 24 horas. Descobrimos que as pacientes com fibromialgia têm uma hiperatividade incessante do sistema nervoso simpático; essa anormalidade ficou especialmente evidente durante as horas de sono. Em outra pesquisa, descobrimos que havia uma associação entre alterações noturnas do ritmo cardíaco sugestivas da atividade simpática e a gravidade dos sintomas de fibromialgia. Muito recentemente, colocamos à prova nossa hipótese, baseada em paradigmas completos que propunham que na fibromialgia existe uma degradação dos sistemas adaptáveis complexos. Mostramos que as mulheres com fibromialgia perdem a *fractalidade* dos ritmos cardíacos, o que revela rigidez em seu sistema de resposta ao estresse.

Em outro estudo, submetemos um grupo de pessoas com fibromialgia a um *estresse* simples, como pedir que elas ficassem em pé depois de ficar deitadas durante 15 minutos. Os resultados mostraram que as pacientes com a doença não têm uma resposta adequada de seu sistema simpático ao ficar em pé. Em contrapartida, as pessoas sadias que atuaram como grupo de controle mostraram mudanças eletrocardiográficas indicativas de uma resposta imediata do sistema simpático.

Nossos resultados sugerem que, na fibromialgia, ocorre uma importante alteração no funcionamento do sistema de resposta ao estresse, caracterizado por uma incessante hiperatividade simpática durante o dia e (sobretudo) durante a noite. Em outras palavras, há um excesso de adrenalina 24 horas por dia, e não se observa a diminuição normal dessa substância durante as horas de sono. A hiperatividade simpática é acompanhada de uma resposta deficiente a qualquer estresse adicional. Pode-se entender essa falta de resposta aos estímulos se levarmos em consideração que um sistema constantemente acelerado chega a um limite e já não é capaz de responder a estímulos adicionais tão simples como ficar em pé (em fisiologia, isso se chama fenômeno de teto).

Nossos resultados iniciais têm sido reproduzidos por pesquisadores de outras nacionalidades, com as mesmas conclusões. Outros estudiosos ainda usam métodos diferentes, como a medição dos níveis de adrenalina no sangue de pacientes com fibromialgia durante as 24 horas do dia. Como já indicado, a adrenalina é o transmissor simpático. Foram encontrados níveis elevados dessa substância durante as 24 horas, mas especialmente à noite.

Os resultados de todos esses questionamentos sugerem que uma alteração fundamental da fibromialgia é um desajuste no funcionamento do sistema nervoso autônomo, que se caracteriza por uma incessante *hiperatividade* do sistema simpático e leva a uma produção excessiva de adrenalina. Com a constante hiperatividade, o sistema torna-se exausto, rígido e incapaz de responder a estímulos adicionais (*hiporreativo*).

Nós propomos que essas anormalidades explicam todas as manifestações da doença. A resposta deficiente a estímulos adicionais explica a fadiga constante. Pode-se fazer uma comparação com o que aconteceria com uma máquina constantemente forçada: ao tentar acelerá-la mais, ela é incapaz de responder, já que o sistema está trabalhando acima de sua capacidade constantemente; em outras palavras, torna-se exausta. O mesmo ocorre com as pacientes de fibromialgia: como seu sistema de regulação trabalha de maneira incessantemente acelerada durante as 24 horas do dia, já não é capaz de executar tarefas adicionais e, por isso, as pessoas amanhecem cansadas, e assim permanecem durante todo o dia.

Aqui cabe um comentário sobre a pressão arterial baixa que afeta com frequência as pacientes de fibromialgia. Diante de uma excessiva atividade simpática, o esperado seria que estes tivessem hipertensão arterial, já que a adrenalina estimula a função do coração e comprime os vasos sanguíneos; porém, ocorre o contrário. Uma explicação para esse paradoxo está na atuação dos receptores de adrenalina diante do estímulo crônico. Foi comprovado que, diante de estímulos persistentes, os receptores de adrenalina ocultam-se e dessensibilizam-se, tornando-se incapazes de responder aos estímulos. Somadas a esse fenômeno estão as alterações genéticas associadas a um receptor de adrenalina defeituoso que encontramos nos casos de fibromialgia. Algo totalmente diferente acontece com os receptores da dor, os quais, diante do estímulo crônico, se sensibilizam e a transmitem de maneira mais intensa. Existem evidências científicas suficientes para avalizar essas afirmações.

A falta de sono reparador é explicada pela hiperatividade simpática noturna. Simultaneamente, fizemos duas pesquisas diferentes durante o sono de pacientes com fibromialgia. Em uma delas, medimos o funcionamento do sistema simpático mediante a análise da variabilidade do ritmo cardíaco. Na outra, analisamos exames de polissonografia, que consistem em não só verificar o eletroencefalograma, mas também estudar o padrão da respiração e dos movimentos do corpo, além de outras variáveis, durante a noite. Comparamos as pacientes com fibromialgia com um grupo de mulheres sadias de idade semelhante, e corroboramos os resultados de nosso estudo prévio, que mostraram uma incessante hiperatividade simpática noturna. O eletroencefalograma, porém, demonstrou um excesso de períodos de sobressaltos e despertares durante a noite. É muito provável que a hiperatividade simpática seja a causa disso. Outras pesquisas em pessoas sadias encontraram dados eletrocardiográficos de hiperatividade simpática que precedem as ondas eletroencefalográficas que determinam o despertar. Esse conjunto de evidências sugere que a hiperatividade simpática noturna é a causa dos transtornos de sono na fibromialgia.

A ansiedade e o nervosismo também são explicados pelo excesso constante de adrenalina. Injetar esse hormônio deixa qualquer pessoa inquieta e trêmula. As mãos frias e às vezes arroxeadas são explicadas pelo mesmo mecanismo. O aumento da quantidade de adrenalina explicaria, da mesma forma, a secura constante na boca e nos olhos. Essa é uma associação bem estabelecida. Qualquer indivíduo que se prepare para falar em público provavelmente reconhece essa sensação.

Outros autores se dedicam a estudos de variabilidade de ritmo cardíaco em pacientes com síndrome do intestino irritável. Os resultados são idênticos aos nossos. Eles revelam uma hiperatividade simpática, acompanhada de uma resposta deficiente ao estresse.

No caso da cistite não infecciosa (o termo médico é *cistite intersticial*), as pesquisas merecem um capítulo à parte. Já foi dito que esse sintoma com frequência acompanha a fibromialgia e se manifesta por urgência de urinar e ardor e dor ao fazê-lo, sem uma infecção que o justifique. Como, no caso da cistite, os sintomas estão concentrados em um espaço fechado e bem delimitado (a bexiga), as pesquisas sobre as alterações nessa doença são mais simples. Já se comprovou que as pacientes com cistite intersticial têm níveis elevados de adrenalina na urina. Nas biópsias da parede da bexiga foi constatado um aumento das fibras nervosas simpáticas. Outro ponto de distinção muito importante da cistite intersticial, que ajuda muito na investigação das suas causas, é que existem modelos animais da doença. Os gatos desenvolvem essa patologia, e neles foram constatados também tanto a proliferação das fibras simpáticas como o excesso de adrenalina na bexiga.

As alterações imunológicas que aparecem com alguma frequência na fibromialgia, como o aumento das reações alérgicas e a infecção recorrente das mucosas pelo fungo *cândida*, também podem estar associadas à hiperatividade simpática. Foi comprovado que essa hiperatividade inibe o tipo de reação imunológica conhecida como *resposta Th1*, que nos protege, entre outras coisas, de infecções por fungos. A hiperatividade simpática, por sua vez, favorece a *resposta Th2*, que é a encarregada da imunidade associada às reações alérgicas.

Um dos mistérios da fibromialgia é a razão da disparidade entre os sexos, já que a doença afeta nove mulheres para cada homem. A explicação não é conhecida; entretanto, é interessante observar que o sistema nervoso simpático é diferente entre os sexos, tanto em sua estrutura como em sua função. Isso fica mais evidente nos modelos animais. Depois de um traumatismo, as fêmeas desenvolvem mais interconexões anormais entre as vias da dor e o sistema simpático. Entre os humanos sadios, é bem conhecido que as mulheres tenham um tom simpático basal mais elevado do que os homens. Isso se manifesta no fenômeno comum, mas pouco apreciado, de as mulheres em geral terem as mãos mais frias e úmidas do que os homens. Os hormônios femininos provavelmente desempenham um papel nessa peculiaridade.

O estressante meio ambiente contemporâneo é uma explicação para o excesso de adrenalina a que estamos submetidos. Vivemos em um mundo de constante (des)informação frívola, submetidos a um estilo de vida alienado. Com a industrialização, perdeu-se o ciclo dia/noite. Antes o anoitecer era acompanhado de silêncio, escuridão e repouso; agora, há ruído, luz e atividade. As dietas contemporâneas são loucas e o costume de fazer exercícios foi abandonado. As relações intrafamiliares são mais complicadas. Com frequência o ambiente de trabalho é hostil.

As pessoas tentam se adaptar a esse estilo de vida estressado forçando seu sistema de regulação interna e de resposta ao estresse (o sistema nervoso autônomo). Em alguns casos, o sistema fica sobrecarregado, fazendo que a doença apareça. As pessoas mais suscetíveis a adoecer são as que têm uma propensão genética, não expelindo adequadamente a adrenalina do corpo.

Sinopse

› Estudos eletrocardiográficos avançados revelaram que as pacientes com fibromialgia apresentam uma importante alteração no funcionamento do sistema de resposta ao estresse (o sistema nervoso autônomo).

› A elasticidade do sistema é perdida graças a uma incessante hiperatividade de dia e à noite. Isso se traduz em uma excessiva produção de adrenalina durante as 24 horas do dia.

› A fibromialgia pode ser entendida como uma tentativa falida de nosso sistema principal de regulação de se adaptar a um meio ambiente cada vez mais hostil.

20. A disfunção do sistema nervoso autônomo também explica a dor

Os incômodos principais da fibromialgia – dor generalizada e hipersensibilidade ao toque – também podem ser explicados pela alteração do funcionamento do sistema nervoso autônomo, por meio do mecanismo denominado *dor neuropática simpaticamente mantida.*

Nós defendemos há muitos anos que a fibromialgia é uma dor do tipo *neuropática*, ou seja, produzida por uma alteração intrínseca nas vias transmissoras da dor, como descrevemos no Capítulo 3. Outros exemplos de dor neuropática: a provocada por diabetes de longa duração, a que se observa depois de uma infecção pelo vírus da herpes-zóster (a chamada *neuralgia pós-herpética*), a neuralgia do trigêmeo ou a distrofia simpático-reflexa.

A fibromialgia reúne todas as características da dor neuropática:

1. Não há dano visível às articulações, aos músculos ou aos ligamentos para explicar a intensa dor que as pacientes sentem.
2. Como indicado no Capítulo 3, a dor neuropática é acompanhada de sensações anormais (*parestesias*), como queimação, formigamento, câimbras ou incômodo ao usar roupa justa. Nossas pesquisas mostram que a imensa maioria das pacientes com fibromialgia tem essas sensações.

- Outra característica neuropática é a *alodinia,* isto é, o despertar da dor com um estímulo que normalmente não é doloroso (como apertar o braço ou aplicar pressão na zona do pescoço). Já vimos que uma das características definidoras da fibromialgia é a presença de certos pontos dolorosos ao toque, refletindo um estado de alodinia generalizada.
- A dor neuropática é acompanhada também de uma "sensibilidade central" nas vias da dor, que se manifesta pelo *fenômeno de ressonância* ou *potencialização* descrito no Capítulo 3. Como foi dito, a sensibilização central é uma anormalidade plenamente comprovada na fibromialgia.

Embora a proposta seja inovadora e necessite de mais pesquisas para ser corroborada, a constatação da fibromialgia como um tipo de dor neuropática está ganhando adeptos na comunidade científica. Vemos vantagens nessa classificação porque permite, de um lado, aproveitar os novos conhecimentos sobre o mecanismo e o tratamento da dor neuropática e aplicá-los à fibromialgia; de outro lado, confere validade à dor fibromiálgica, já que poucas pessoas duvidariam da dor no caso de uma neuralgia do trigêmeo ou de uma neuralgia pós-herpética. Pesquisas publicadas em 2013 respaldam nossa proposta. Há um tipo de dor neuropática denominada "neuropatia de fibras finas", que pode ser diagnosticado com o estudo microscópico das biópsias da pele. Descobriu-se que um terço das pessoas com fibromialgia tem esse tipo de neuropatia.

Nós utilizamos um método mais simples para verificar se os portadores de fibromialgia têm neuropatia de fibras finas sem a necessidade de realizar biópsia da pele. Esse método é chamado de "microscopia confocal da córnea". Usando um microscópio potente, podem-se estudar os pequenos nervos localizados na córnea (parte frontal do olho). O estudo não é invasivo e oferece as mesmas informações que a de pele. Observou-se que as pessoas com fibromialgia têm anormalidades nos nervos dos olhos coerentes com a neuropatia de fibras finas. Esse resultado confirma nossa ideia de que a dor da fibromialgia é neuropática. É provável que a microscopia confocal de córnea em breve se torne um teste objetivo para confirmar o diagnóstico de fibromialgia.

Existe um subgrupo de dores neuropáticas causadas por uma atividade excessiva do sistema simpático. Nessa situação, observa-se um tráfego simpático excessivo; o bloqueio das vias simpáticas diminui a dor e a injeção de adrenalina reaviva a dor. Essas alterações estão presentes na doença.

1. Existe uma hiperatividade simpática incessante, como demonstram os diversos estudos de variabilidade do ritmo cardíaco.
2. A dor diminui com o bloqueio simpático. Pesquisadores escandinavos comprovaram que o bloqueio de um importante gânglio simpático do pescoço – denominado *gânglio estrelado* – é seguido de uma redução da dor na zona inervada por esse gânglio em quem tem fibromialgia.
3. A injeção de adrenalina reaviva a dor nas pacientes com fibromialgia. Fizemos um estudo em que as pacientes foram divididas em dois grupos: em um deles os médicos injetaram uma pequena quantidade de adrenalina no braço, enquanto no outro foi injetada uma substância inócua (placebo). Nem as pacientes nem os médicos sabiam qual substância havia sido injetada em quem. O mesmo procedimento foi realizado em pacientes que tinham outra doença de dor crônica, a artrite

reumatoide, e em um grupo de pessoas sadias. Os resultados mostraram que a maioria das pacientes com fibromialgia sentiu dor com a injeção de adrenalina, mas isso não aconteceu com os demais grupos de controle.

É comum que o início de uma dor neuropática mediada pelo sistema simpático aconteça depois de um forte trauma, como se observa na síndrome da *distrofia simpático-reflexa*, mencionada anteriormente. Há importantes semelhanças entre ela e a fibromialgia. Ambas afetam predominantemente mulheres, e com frequência têm início pós-traumático. Tanto em uma como em outra foram encontradas alterações no sistema nervoso simpático, e suas manifestações comuns são dor, parestesias e hipersensibilidade ao toque. Além disso, as duas doenças parecem responder aos bloqueios das vias simpáticas. Nós defendemos que a fibromialgia seja uma forma generalizada de distrofia simpático-reflexa.

A ideia de que a fibromialgia é uma síndrome dolorosa neuropática causada pela hiperatividade simpática nos abriu novas possibilidades de pesquisa. Permitiu tomar os importantes conhecimentos recentes sobre os mecanismos que provocam a dor neuropática e aplicá-los à pesquisa da fibromialgia. Os modelos animais de dor neuropática mantidos pela hiperatividade simpática são claros. Depois de um trauma físico (e possivelmente emocional) estabelecem-se conexões anormais entre os nervos que transmitem dor e os nervos simpáticos. Como explicado no Capítulo 3, esses curtos-circuitos realizam-se nos gânglios das raízes dorsais, onde está situado um tipo especial de canais de sódio que agem como porteiros da dor. Vimos que as pacientes mexicanas com formas graves de fibromialgia têm certas variações genéticas nesses canais de sódio. Essa descoberta sugere que, em alguns casos de fibromialgia grave, os "porteiros" da dor não estão funcionando adequadamente. Esses achados recentes sugerem diferentes possibilidades de tratamento para a doença. A estrutura desses canais de sódio é bem conhecida, por isso podem ser produzidos analgésicos finos que os bloqueiem exclusivamente e não teriam os efeitos indesejáveis dos medicamentos atuais.

O esquema a seguir resume nossa proposição sobre os mecanismos que disparam e mantêm a fibromialgia. A alteração fundamental é um excesso de adrenalina (estado *hiperadrenérgico*). O fator disparador da doença pode ser um trauma físico ou emocional ou mesmo uma infecção. São estabelecidas conexões anormais entre o sistema simpático e as vias dolorosas, fazendo nascer a dor, a hipersensibilidade e a pressão das sensações anormais (parestesias). O excesso de adrenalina produz outras manifestações da doença, como a insônia, a ansiedade e o intestino irritável. A hiperatividade constante do sistema o sobrecarrega, aparecendo assim a fadiga.

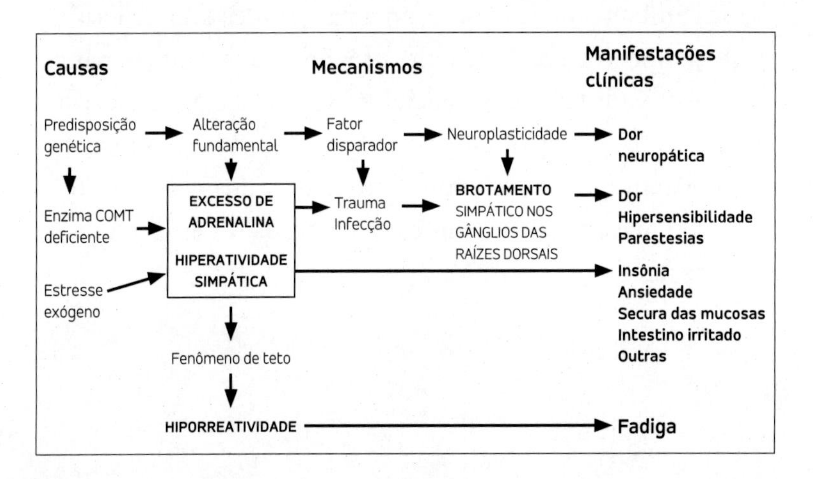

Sinopse

- Utilizando um novo método computacional denominado *análise da variabilidade do ritmo cardíaco,* descobrimos que as pacientes de fibromialgia têm alterações no funcionamento do sistema nervoso autônomo, o sistema de resposta ao estresse.
- Essa alteração se caracteriza por uma hiperatividade incessante do ramo simpático acelerador, com uma produção excessiva de adrenalina (o que provocaria a insônia). Com essa atividade forçada, o sistema fica exausto e incapaz de responder a estímulos adicionais (o que causaria a fadiga).
- A alteração do sistema nervoso autônomo oferece uma explicação coerente para as demais manifestações da fibromialgia.
- Nossa proposta é a de que a fibromialgia ocorre em virtude de uma alteração intrínseca dos nervos que transmitem a dor. Isso recebe o nome de *dor neuropática.*
- Defendemos também que o excesso constante de adrenalina é a causa da dor neuropática presente na fibromialgia. O estresse constante transforma-se em uma verdadeira dor crônica.
- Sugerimos que os curtos-circuitos entre o sistema simpático e as vias de dor prosseguem até alguns gânglios especiais chamados "gânglios das raízes dorsais". Evidências recentes mostram que pessoas com fibromialgia quase sempre têm um tipo especial de neuropatia chamada "neuropatia de fibras finas".

21. O tratamento integral

NO TRATAMENTO DE muitas doenças convencionais, o paciente desempenha um papel passivo, como um mero consumidor de medicamentos ou receptor de intervenções cirúrgicas. O processo da fibromialgia é totalmente diferente. Para aliviar essa doença, o paciente e seus agregados devem assumir uma postura ativa e propositiva. O elemento mais importante para um tratamento bem-sucedido é primeiro *entender*, para depois poder *confrontar* a doença.

Entender que ela não é uma doença imaginária. Que a dor e os demais sintomas são reais, e que existe uma explicação coerente para a presença de incômodos tão diversos na mesma pessoa. Entender que os nervos encarregados de transmitir a dor estão realmente irritados. Que a dor não revela um dano progressivo dos músculos, das articulações ou de outra estrutura interna do corpo. Entender que o sistema principal de regulação interna e de adaptação ao meio ambiente está corrompido. Que frequentemente há um impacto emocional negativo, que pode desempenhar um papel importante na perpetuação do sofrimento. Avaliar que, de um ponto de vista filosófico, a fibromialgia pode ser definida como uma tentativa frustrada do corpo de se adaptar a um meio ambiente hostil.

Deve-se entender as razões fundamentais por que a fibromialgia é tão comum em nossos dias. Como mencionado previamente, a modernidade tem propiciado um meio ambiente mais hostil. As pessoas tentam se ajustar à nova realidade forçando seu sistema principal de resposta ao estresse. Nos casos de fibromialgia, o sistema perde resiliência, rompe-se, e a doença aparece. Por isso, tudo que violente nosso sistema de adaptação a partir de uma tensão física ou emocional forte é prejudicial. Deve-se reconhecer que, com frequência, as pessoas com fibromialgia são inflexíveis e perfeccionistas. Não costumam estar satisfeitas com seu próprio desempenho. Apropriam-se dos problemas dos outros. Se isso for entendido, a consequência lógica será adotar um estilo de vida sadio e sossegado, que traga benefícios. No entanto, conselhos como "relaxe" ou "esforce-se mais" são frases vazias se não houver ferramentas e apoio correspondentes para segui-los.

O segundo passo na fórmula do sucesso é *confrontar* a doença. O paciente e seus familiares devem assumir o protagonismo na reabilitação, e não esperar que uma pílula mágica cure todos os mal-estares.

Muitas pessoas sentem alívio quando são informadas do diagnóstico de fibromialgia, já que, depois de muitos anos, encontram uma explicação lógica e coerente para seus múltiplos incômodos. Esse alívio é mais evidente nos casos que foram erroneamente diagnosticados e tratados como alguma doença degenerativa. Um diagnóstico adequado também acaba com a peregrinação das pacientes pelos consultórios médicos e, por isso, evita o gasto em exames e tratamentos excessivos e desnecessários.

Com a fibromialgia ocorre algo similar a outras doenças crônicas, como a osteoartrite, o diabetes ou a hipertensão arterial. Há um espectro de gravidade que parte da normalidade e gradualmente vai se alterando até chegar ao outro extremo, no qual o grau das alterações causa incapacidade. Por isso, existe um subgrupo de pacientes nas quais a explicação é suficiente para continuar com sua vida normal; no polo oposto estão os casos que necessitam de diversos tipos de intervenção para conseguir seguir em frente.

O tratamento deve ser *individualizado e integral.* Individualizado porque as pacientes podem responder de modo diferente, e até contrário, a um mesmo tratamento; por isso, deve-se elaborar uma prescrição que se ajuste às particularidades de cada um. Integral porque é preciso entender cada pessoa como uma unidade biopsicossocial. Deve-se abordar os incômodos físicos e sua repercussão emocional, assim como definir o papel que o meio ambiente hostil desempenha em cada caso. A terapia integral pode ser feita com diversas técnicas e abordagens, assim como com uma terapia física e medicamentosa. Nos dias atuais, é totalmente irreal pensar que uma pílula mágica vá curar todos os sintomas da fibromialgia.

Sinopse

› O fundamental para um tratamento bem-sucedido é entender as particularidades da fibromialgia.
› Com frequência, a doença aparece com uma intenção falha de nos adaptarmos a um meio ambiente hostil.
› A dor é real, mas não significa um dano progressivo nos músculos ou nas articulações.
› A dor crônica provoca mudanças emocionais negativas que também devem ser abordadas.
› O paciente bem informado, ao lado de seus familiares e profissionais da saúde, deve ser protagonista de sua reabilitação.
› Não existe uma fórmula única eficaz para todos os pacientes. É preciso escolher entre os diversos tipos de tratamento de acordo com as características de cada pessoa.

22. Medidas não medicamentosas

Há certas técnicas e abordagens que têm provado, por meio de estudos controlados, sua efetividade para melhorar os incômodos da fibromialgia. Convém destacar que estamos falando de melhora e não de cura.

A atitude diante da doença

Se a atitude da paciente é a de reconhecer e assumir a presença dos sintomas, assim como a de se sentir capaz de administrá-los, o prognóstico é mais favorável. Se, ao contrário, ela se sente impotente, incapaz de reagir ou de tomar decisões por conta própria para melhorar e ainda nutre sentimentos catastróficos, o prognóstico é mais sombrio. Esse fenômeno foi observado não só na fibromialgia, mas também em outras doenças reumáticas, como a artrite reumatoide e a osteoartrite.

Existem técnicas psicológicas de *autoeficácia*, como:

1. Estabelecer metas exequíveis relacionadas a atividades físicas a ser cumpridas.
2. Ver e seguir o exemplo de outras pessoas que conseguiram vencer a doença.
3. Receber *feedback* positivo de outros pacientes e profissionais da saúde.

4 Entender as reações fisiológicas do corpo. Pensar que o excesso constante de adrenalina, característico da fibromialgia, é o causador dos múltiplos sintomas.

Isso pode ser alcançado em pequenos grupos de autoajuda.

Terapia em grupo

No caso da fibromialgia, a terapia em grupos de dez a 15 pessoas traz muitos benefícios. O grupo deve ter uma atitude proativa. Há dois personagens-chave para isso: o primeiro é uma paciente reabilitada, que mostre ser possível sair do atoleiro da fibromialgia; uma líder que use sua experiência como incentivo para mostrar às companheiras o caminho para seguir adiante, que anime constantemente o grupo no sentido da melhora. O segundo personagem-chave é uma psicóloga que conheça as diversas técnicas cognitivo-comportamentais e esteja familiarizada com a doença. Ela deve insistir para que a atitude do grupo seja sempre a de busca da melhora. Terapias em grupo que se tornam um amontoado de lamentações são contraproducentes.

A terapia em grupo oferece a vantagem adicional de reduzir os custos do tratamento.

Exercício

As principais queixas das pacientes de fibromialgia são a dor e a fadiga. É óbvio que esses dois sintomas são diametralmente opostos aos exercícios. Com razão, as pacientes às vezes protestam dizendo: “Como quer que eu faça exercícios se mal consigo me mexer?" Aqui a chave é a palavra *gradativo*, ou seja, o exercício dosado segundo as limitações da pessoa. Também existem evidências científicas que avalizam o benefício do exercício no combate aos diversos sintomas da doença, como a dor, o cansaço e o número de pontos dolorosos.

Nossa recomendação é começar com exercícios de alongamento. Também aconselhamos movimentos na água (*hidroginástica*). A ginástica aeróbica é útil e inclui caminhar em um lugar relaxante (de preferência rodeado de vegetação), andar de bicicleta e natação. Em uma etapa mais avançada da reabilitação, recomendam-se os exercícios de fortalecimento muscular. Outra modalidade efetiva é a prática de diversos tipos de dança. As terapias físicas devem ser realizadas pela manhã; evita-se fazê-las à noite, pois nesse horário podem interferir no sono.

Práticas orientais como o *tai chi* e o *qi gong* fundamentam-se no conceito de *yin-yang*. A prática desses movimentos harmoniza o funcionamento do sistema nervoso autônomo, por isso são recomendáveis para os casos de fibromialgia. Há evidências contundentes de que o *tai chi* melhora os sintomas da doença.

Os exercícios respiratórios trazem muitos benefícios, já que modulam de maneira direta o sistema nervoso autônomo. A respiração diafragmática diminui os níveis de adrenalina. Para praticar esse tipo de respiração, é preciso seguir os seguintes passos:

1. A posição inicial deve ser deitada, com uma almofada debaixo dos joelhos.
2. Uma mão fica na área do umbigo e a outra, sobre o peito. Ao entrar o ar (inspiração), o abdômen deve se expandir enquanto o tórax se move pouco.

3. As inspirações devem ser lentas, pelo nariz, e as expirações relaxadas, pelos lábios semicerrados. Os ciclos respiratórios devem ter um ritmo aproximado de seis por minuto.
4. As sessões devem durar de cinco a dez minutos.
5. Simular um bocejo ajuda a entender como se produz a respiração diafragmática.

Terapia cognitivo-comportamental

É FORMADA POR UM conjunto de estratégias psicológicas que explicam às pacientes como diferentes tipos de crenças, pensamentos, expectativas e condutas podem ter efeitos tanto positivos como negativos nos sintomas da doença. Enfatiza-se também o papel que a própria pessoa pode desempenhar na melhoria dos seus sintomas, e são desenvolvidas técnicas específicas para reduzi-los, como, por exemplo, dividir o tempo de maneira mais adequada entre trabalho, descanso e atividades agradáveis, ou seguir técnicas de relaxamento mediante exercícios respiratórios, meditação, retroalimentação biológica ou visualização de imagens. Há também intervenções para reestruturar as crenças das pessoas sobre sua doença.

É importante reiterar que há evidências científicas que avalizam as práticas descritas acima na fibromialgia. O motivo da melhora não está claro; entretanto, diferentes estudos têm concluído que essas técnicas melhoram também o funcionamento do sistema nervoso autônomo. Nós defendemos que essa é precisamente a razão da melhora nos casos de fibromialgia.

Dieta

Deve-se levar em consideração que uma grande porcentagem de pacientes sofre de intestino irritável. Essa condição deve ser encarada como uma "fibromialgia do intestino", já que são encontradas as mesmas alterações de dor, hipersensibilidade à pressão e disfunção local do sistema nervoso autônomo no trato digestivo. Muitas pessoas reconhecem uma relação direta entre a intensidade dos problemas intestinais e a dor difusa.

No intestino irritável existe também a influência de um meio ambiente hostil, nesse caso representado pela ingestão de *junk food*. Há poucas pesquisas rigorosas que analisam o papel da dieta na melhora da fibromialgia. O certo é que não existe uma dieta única para a doença. Por isso, pode-se eliminar certo tipo de alimentos e observar se há melhora nos sintomas ao longo de várias semanas.

Como norma geral, deve-se evitar alimentos ricos em gorduras animais, incluindo frituras, assim como comidas muito condimentadas. O peixe é benéfico, e é melhor evitar carne vermelha. A dieta deve ser predominantemente vegetariana. Todo tipo de frutas e verduras frescas é aconselhável.

A capacidade do intestino de digerir os açúcares do leite (lactose) diminui lentamente com a idade. Além disso, há pessoas intolerantes à lactose, por isso é prudente fazer o teste e evitar leite e queijo fresco.

Como descrito no Capítulo 12, é importante confirmar que não há intolerância ao glúten, proteína presente no trigo, na cevada, na aveia e no centeio. Caso haja, a paciente deve seguir uma dieta rígida, sem os alimentos que contenham essa proteína. As pessoas de origem europeia são mais propensas à intolerância ao glúten, enquanto as de origem americana são mais propensas à intolerância à lactose.

Os alimentos com alto teor de açúcar simples (doces, bolachas ou bolos) devem ser evitados, já que sua fermentação provoca distensão abdominal. Esses carboidratos também podem induzir a uma diminuição tardia nos níveis de glicose. A ingestão brusca de açúcares no organismo faz que se produza muita insulina, levando a um quadro de *hipoglicemia reativa.*

Também é recomendável evitar o consumo excessivo de álcool e de bebidas que contenham substâncias parecidas com a adrenalina, como a cafeína; o melhor é cortar da dieta o café e refrigerantes com cafeína. Existe a possibilidade teórica, ainda não comprovada, de que o *aspartame* dos refrigerantes e sucos *light*, por sua semelhança química com o aspartato, possa ter uma ação irritante nos casos de fibromialgia. Portanto, é conveniente não consumir esse tipo de bebida. Uma conclusão similar aplica-se ao *glutamato monossódico*, utilizado para melhorar o sabor dos alimentos. Diversas sopas enlatadas, frituras e o molho de soja para condimentar comidas orientais contêm essa substância.

Muitas pacientes com a doença têm pressão arterial baixa; essa anomalia pode favorecer a presença de incômodos como cansaço e enjoo. Uma maneira simples de aliviar essas alterações é beber água com grande quantidade de minerais, pois favorece o aumento da pressão arterial.

As bebidas para esportistas com alto teor mineral, no entanto, não são geralmente recomendadas, já que também contêm glicose e outros tipos de substâncias estimulantes.

Tabagismo

Além das indicações dietéticas, recomenda-se parar de fumar, já que a nicotina prejudica o funcionamento do sistema nervoso autônomo. Nesse caso, a evidência também é clara: quem fuma tem mais risco de desenvolver a fibromialgia, e as pacientes que fumam têm seus sintomas agravados.

Medidas para melhorar o sono

A falta de sono reparador ocorre em quase 90% das pacientes com fibromialgia e tem um impacto negativo na dor e na fadiga. Um período de sono adequado é fundamental para manter o ritmo circadiano adequado. As seguintes medidas ajudam a ajustar nosso relógio biológico:

1. *Deitar e levantar no mesmo horário.* É uma rotina fundamental para regular nosso relógio biológico. Ainda que a qualidade do sono seja ruim, é preciso levantar sempre na mesma hora.
2. *Evitar dormir durante o dia.*
3. *Não ingerir álcool 6 horas antes de dormir.* Ainda que o álcool possa ter um efeito sedativo imediato, ele é estimulante em médio prazo.
4. *Comer ligeiramente à noite, sem cafeína nem tabaco.*
5. *Praticar exercício de manhã e não antes de dormir.*
6. *Usar uma cama confortável.*
7. *Usar a cama somente para dormir e/ou ter relações íntimas.* Não se deve usá-la como mesa de trabalho. Nossa mente deve associar "cama" com "dormir".

8. *Manter a temperatura do quarto fresca.* Utilizar cobertores caso seja necessário.
9. *Ao levantar, expor-se à luz solar.* Isso ajuda a regular nosso relógio biológico.
10. *Não levar para a cama as tarefas inacabadas, nem as exigências do dia.*
11. *Estabelecer rituais preparatórios*, como leitura, música relaxante, meditação e/ou banho de imersão.
12. *Não assistir à televisão antes de dormir.*
13. *Não ingerir medicamentos que alterem o sono.*
14. *Em caso de despertar no meio da noite e não conseguir voltar a dormir, ir para outro cômodo e ler sobre algum tema relaxante.*

Sinopse

› Além dos medicamentos, há uma variedade de medidas efetivas que aliviam os sintomas da fibromialgia. São elas: uma atitude positiva diante da doença, terapia em grupo, exercício dosado conforme a necessidade de cada pessoa, exercícios respiratórios, terapia cognitivo-comportamental, dieta vegetariana sem irritantes nem substâncias parecidas com a adrenalina, não fumar e tomar medidas para melhorar o sono.

23. O tratamento com medicamentos

Só devem ser utilizados medicamentos nos casos *estritamente necessários e sob a supervisão direta de um médico. Nunca se automedique.* Já vimos que a fibromialgia produz incômodos em diferentes partes do corpo. O perigo constante é que a paciente tome um ou mais medicamentos para cada sintoma (dor de cabeça, dor muscular, intestino irritável, cistite, ansiedade etc.). Consumir múltiplos medicamentos (polifarmácia) não melhora a doença e submete a paciente ao risco de desenvolver efeitos colaterais desagradáveis. As pessoas com fibromialgia são especialmente sensíveis aos fármacos, por isso é prudente iniciar qualquer tratamento com doses mínimas e aumentá-las paulatinamente. A polifarmácia é um perigo constante nos dias atuais, por causa da fragmentação da medicina em especialidades. Por isso, o melhor é que um só médico coordene o tratamento e a paciente peça consultas a especialistas, caso seja necessário.

Com frequência surge a pergunta: que tipo de especialista é o mais indicado para tratar as pessoas com fibromialgia? Do ponto de vista histórico, os reumatologistas foram os médicos que definiram a doença e, com suas pesquisas, ajudaram a entender melhor seus mecanismos. Entretanto, as evidências atuais mostram que a fibromialgia é uma doença neurológica. Acreditamos que, em vez de um especialista bem definido, o médico mais adequado seja aquele que tenha uma visão integral da medicina, que entenda e acredite na fibromialgia e esteja familiarizado e capaz de diferenciá-la das várias enfermidades com as quais ela pode ser confundida.

Medicamentos para a dor

A FIBROMIALGIA NÃO É um processo inflamatório; portanto, os medicamentos anti-inflamatórios do tipo naproxeno, diclofenaco ou celebrex têm pouco efeito sobre a dor. São úteis quando há outro componente doloroso associado, como bursite ou osteoartrite.

Analgésicos

São mais úteis os *analgésicos puros*, como o paracetamol, com uma dose inicial de 500 mg três vezes ao dia, podendo ser incrementada a até 750 mg, quatro vezes ao dia.

Um analgésico mais potente é o tramadol. Esse composto age sobre os receptores *opioides* do cérebro; por isso, é chamado de *analgésico de ação central.* Costuma ser utilizado com uma dose inicial de um comprimido de 50 mg três ou quatro vezes ao dia. Essa substância tem a vantagem de também poder ser administrada em gotas, com uma concentração de dez miligramas por mililitro, o que permite uma dosagem mais cuidadosa. Uma dose inicial adequada é de cinco a dez gotas três ou quatro vezes ao dia. O tramadol pode ter como efeitos secundários, como náuseas e enjoos.

Esses dois medicamentos (paracetamol e tramadol) são utilizados em combinação para os casos de dores mais intensas.

Medicamentos antineuropáticos

Como mencionamos previamente, a dor da fibromialgia tem características neuropáticas. Existem substâncias que diminuem a excitabilidade dos nervos que transmitem a dor. São os chamados medicamentos *antineuropáticos.* Eles são utilizados em doenças como a neuralgia pós-herpética e a neuropatia diabética. Tais substâncias podem ser igualmente eficazes na fibromialgia. Como exemplos de medicamentos pertencentes a esse grupo estão a gabapentina e a pregabalina. A dose de gabapentina recomendada pelos fabricantes é de 1.200 a 2.400 mg ao dia. Vários estudos controlados têm demonstrado que a pregabalina é efetiva nos casos de fibromialgia. Na verdade, foi o primeiro medicamento formalmente autorizado a ser utilizado para a doença. A pregabalina ajuda também com a ansiedade e a insônia. A dose recomendada pela companhia farmacêutica é de 300 a 450 mg ao dia. Os efeitos indesejáveis mais comuns desses fármacos incluem enjoo e letargia. Outro efeito adverso menos relatado é o ganho de peso. Reiteramos que as pessoas com fibromialgia são particularmente sensíveis aos medicamentos. Em nossa experiência, raramente toleram as doses recomendadas pelos laboratórios farmacêuticos. Então, deve-se começar com quantidades baixas do medicamento à noite. Esses compostos parecem ser mais úteis nos casos de dor intensa acompanhada de parestesias notáveis (ardência, formigamento, sensação de choques elétricos). O fato de os agentes antineuropáticos funcionarem no tratamento da fibromialgia é um argumento adicional a favor da origem neuropática da dor.

Antidepressivos

Na fibromialgia e em outras doenças que provocam dor crônica, costumam ser utilizados antidepressivos com finalidade analgésica. O mais usado é a amitriptilina, um composto que pertence ao grupo dos *antidepressivos tricíclicos.* As doses recomendadas para tratar a fibromialgia são menores do que as usadas para a depressão. A amitriptilina, com uma dose inicial de 10 mg por noite (que pode ser aumentada paulatinamente), é mais eficaz contra a insônia, a fadiga e a dor, nessa ordem. Algumas pacientes não toleram sequer essas pequenas doses, pois já experimentam efeitos colaterais como ansiedade noturna, enjoo e boca seca durante o dia.

A ciclobenzaprina também pertence ao grupo de medicamentos com estrutura tricíclica. Apesar de similar à amitriptilina, parece ter menos efeitos antidepressivos e mais capacidade de relaxamento muscular. Há várias pesquisas controladas em pessoas com fibromialgia que mostram um efeito favorável da ciclobenzaprina sobre a dor, a qualidade do sono e os pontos hipersensíveis. A dose inicial utilizada foi de 10 mg à noite, mas pode chegar a até 30 mg. Secura da boca e enjoo são os efeitos indesejáveis mais frequentes. Um estudo recente mostrou que a ciclobenzaprina em doses mais baixas (entre 1 e 4 mg à noite) também alivia os sintomas de fibromialgia, com menos efeitos indesejáveis.

Outros tipos de antidepressivos são os *inibidores seletivos de recaptação da serotonina*, grupo a que pertencem a fluoxetina e a paroxetina. As pesquisas controladas em fibromialgia mostraram certa melhora na dor e no ânimo das pacientes.

Há um novo tipo de antidepressivos chamado de *inibidor dual de recaptura de serotonina e adrenalina*. Como exemplo estão a venlafaxina, o milnaciprano e a duloxetina; esses dois últimos têm mostrado, em estudos controlados, que são capazes de melhorar os sintomas da fibromialgia em curto e médio prazo. A duloxetina é utilizada em doses de 60 a 120 mg ao dia. A recomendação é começar com uma dose de 30 mg de manhã. Os efeitos indesejáveis mais frequentes são: náusea, enjoo, insônia e ansiedade. O milnaciprano pertence ao mesmo grupo e tem um perfil terapêutico similar. A dose utilizada na fibromialgia é entre 100 e 200 mg ao dia. A dose inicial recomendada é de 50 mg diárias.

A efetividade desse tipo de medicamento na fibromialgia vai contra nossa ideia de que essa doença é uma síndrome dolorosa dependente de adrenalina. Esses medicamentos aumentam a oferta de adrenalina. No entanto, deve-se notar que a duloxetina é um bloqueador dos canais de sódio dos gânglios das raízes dorsais. Talvez resida aí sua capacidade analgésica.

Medicamentos e procedimentos em processo de avaliação

Atualmente, a segurança e os benefícios de vários compostos estão sendo pesquisados e avaliados. É animador observar como grandes companhias farmacêuticas têm dedicado atenção ao estudo da fibromialgia. Cabe mencionar três desses novos fármacos: os canabinoides, o oxibato de sódio e a tropizetrona. Além disso, especula-se sobre o potencial da estimulação magnética transcraniana.

Estão em processo avaliativo os canabinoides para tratar a fibromialgia. São substâncias analgésicas derivadas do princípio ativo da maconha. Em estudos iniciais, uma dessas substâncias, a nabilona, melhorou de maneira leve, mas significativa, a dor e o sono das pacientes. Os efeitos indesejáveis foram a letargia e a náusea.

O oxibato de sódio é um hipnótico aprovado para o tratamento da narcolepsia. Em uma pesquisa controlada, mostrou-se benéfico em vários sintomas da fibromialgia. No entanto, seu uso não foi aprovado para a doença por seu potencial uso ilegal como droga "recreativa", entre outras razões.

Além dos antidepressivos, há outro grupo de fármacos que agem sobre diversos receptores da serotonina. Esses medicamentos foram feitos originalmente para controlar a náusea e o vômito nos pacientes submetidos à quimioterapia. O mais conhecido é a tropizetrona, a qual, em uma pesquisa controlada de curta duração (dez dias), demonstrou ser efetiva no tratamento da doença.

A estimulação magnética transcraniana é um método não invasivo que tenta modular, por meio de um estímulo magnético, os centros do córtex cerebral que percebem a dor. Existem diferentes tipos de estímulo. Estudos preliminares têm mostrado que esse tipo de terapia melhora a dor da fibromialgia.

Um temor frequentemente manifestado pelas pacientes é o risco de adição aos medicamentos. Nesse ponto é preciso diferenciar duas situações. A primeira é que o efeito benéfico do medicamento sobre a dor faz que eles queiram continuar utilizando-o; isso não é vício, e sim dependência do efeito benéfico do tratamento. A segunda, muito diferente, é o verdadeiro vício, definido como o uso ilegal dos medicamentos, por meio de métodos fraudulentos de obtenção, para conseguir efeitos eufóricos. A experiência tem mostrado que a dependência de analgésicos é excepcional nas pessoas com fibromialgia.

Quando existe uma área do corpo especialmente dolorosa, na qual se percebe um "ponto gatilho" que, ao ser pressionado, agrava a dor na zona circunvizinha, pode-se injetar nesse lugar um anestésico local, como a xilocaína. O uso da xilocaína por via endovenosa é indicado nos casos de dor extrema. A literatura médica contém descrições informais com resultados favoráveis, mas ressalte-se que o uso desse medicamento por via endovenosa pode ter complicações sérias.

Substâncias que podem ajudar o sono

Todos os mamíferos secretam um hormônio no começo da noite que ajuda a conciliar o sono; chama-se *melatonina* e é secretado pela glândula pineal. A melatonina favorece o sono de forma natural; por isso, é utilizada para a insônia associada à fibromialgia, com doses iniciais de 3 mg, podendo ser incrementada a até 5 mg. Esse composto é eficiente também para combater o *jet lag* das viagens transatlânticas. Os extratos da raiz da valeriana (*Valeriana officinalis*) também têm se mostrado eficientes no combate à insônia.

Há um grupo de fármacos utilizado para combater as reações alérgicas. Um efeito colateral frequente é a sedação, que serve para aliviar a insônia. O melhor exemplo desse tipo de composto é a difenidramina, que pode ser consumida à noite, em uma dose de 50 mg.

Como mencionado anteriormente, alguns médicos recomendam baixas doses de antidepressivos tricíclicos para resolver a insônia, tais como a amitriptilina, em uma dose inicial de 10 mg por noite. Os tranquilizantes do grupo das benzodiazepinas também são usados para esse fim, como, por exemplo, o clonazepam, com dose inicial de 0,5 mg à noite. Esse composto pode ser utilizado igualmente durante o dia para combater a ansiedade. Outros medicamentos desse grupo são o zolpidem e o lorazepam.

A síndrome das pernas inquietas é um acompanhante noturno comum da fibromialgia. Uma das causas desse problema é a deficiência relativa de ferro. Nesses casos, os sintomas melhoram com a ingestão desse nutriente. O pramipexol é um medicamento útil nos casos de síndrome de pernas inquietas com níveis normais de ferro.

Nunca é demais reiterar que todos os medicamentos devem ser administrados com supervisão médica rígida e direta.

Medicamentos para intestino irritável

Quem tem fibromialgia com frequência sofre de intestino irritável, o que produz dor abdominal com distensão, e constipação, que pode ou não se alternar com diarreia. Quando a irritação intestinal se manifesta primordialmente com diarreia, é mais fácil controlá-la com fármacos que diminuem a motilidade intestinal, como a loperamida ou o difenoxilato. Esses agentes devem atuar como preventivos, sem esperar a diarreia aparecer, em doses baixas de um comprimido por noite constantemente. Em muitos casos, espera-se diminuir a urgência da evacuação e, dessa maneira, a paciente pode levar, com mais tranquilidade, uma vida normal fora da sua casa.

Quando o problema é principalmente a constipação, podem ser usados produtos vegetais com ação local. Outros agentes, como as senosidas, são também substâncias vegetais que favorecem a motilidade intestinal. O velho leite de magnésia é útil, com um acréscimo de valor por seu conteúdo de magnésio, um íon que, de alguma maneira, promove a analgesia. Se essas medidas não forem suficientes, podem ser usados outros laxantes, como o bisacodil e o picossulfato sódico.

Agentes bloqueadores de adrenalina

Na fibromialgia existe uma produção excessiva de adrenalina; por esse motivo, parece lógico recorrer a medicamentos antagonistas dessa substância durante o tratamento. Uma pesquisa controlada sobre a síndrome temporomandibular mostrou que o propranolol diminui a intensidade da dor. Temos utilizado doses baixas (10 mg duas vezes ao dia como dose inicial) de um bloqueador dos receptores *beta* da adrenalina chamado propranolol. Nós o aplicamos em mulheres jovens com fibromialgia acometidas de palpitação cardíaca, crises de angústia ou desmaios, com aparente bom resultado. Faltam pesquisas que examinem de maneira direta se os bloqueadores dos receptores beta da adrenalina ajudam na dor fibromiálgica.

Outras substâncias agem nas uniões (sinapses) nervosas do cérebro, ao modular a liberação de neurotransmissores do grupo da adrenalina. A esse grupo pertence a tizanidina, indicada também como relaxante muscular.

Na fibromialgia há uma incessante hiperatividade do sistema simpático e, como consequência inevitável, uma depressão na função de seu sistema antagônico, o parassimpático. Está em processo de estudo se uma substância que incrementa o tom parassimpático – a piridostigmina – é útil nos casos de fibromialgia.

Que tipo de medicamentos utilizar primeiro?

As respostas tanto favoráveis como desfavoráveis aos medicamentos variam de pessoa para pessoa e são imprevisíveis. A paciente deve experimentar o composto para saber se serve de ajuda. Entretanto, podem ser estipuladas algumas diretrizes de acordo com o perfil sintomático que acompanha a dor. Os agentes tricíclicos (ciclobenzaprina, amitriptilina) são uma opção quando há transtornos do sono. Os antineuropáticos (pregabalina, gabapentina) ajudam a melhorar o sono e diminuem as pontadas e câimbras. Os antidepressivos (fluoxetina, paroxetina, duloxetina, milnaciprano) são mais indicados quando há uma depressão bem definida sem uma ansiedade importante. Tendo em vista que os medicamentos mencionados acima têm mecanismos diferentes de ação, alguns especialistas propõem um tratamento farmacológico combinado. Contudo, não existem estudos que avaliem esse tipo de esquema.

Evolução da doença

A FIBROMIALGIA TEM PERÍODOS de exacerbação e de remissão. Não é uma doença que se agrava com a idade. De fato, uma observação detalhada conduzida durante três anos, no Canadá, revelou que o grupo estudado, em geral, melhorou, e que 30% dos pacientes manifestaram uma melhora importante nesse tempo. Não foi possível identificar nenhum tratamento específico responsável pela melhora. Está claro que é necessário descobrir tratamentos mais efetivos para a fibromialgia.

Sinopse

- No tratamento da fibromialgia, as pacientes só devem tomar os remédios imprescindíveis – quanto menos, melhor –, e sempre sob a supervisão direta de um médico. As pessoas com fibromialgia são mais suscetíveis à intolerância a medicamentos.
- Para amenizar a dor são úteis os *analgésicos puros*, como o paracetamol ou o tramadol. Também podem ser usadas doses baixas dos *antidepressivos tricíclicos*.
- Os novos antidepressivos, como a duloxetina e o milnaciprano, têm mostrado eficácia.

- Os medicamentos *antineuropáticos* (pregabalina e gabapentina) também têm sido eficazes.
- Para melhorar o sono, são indicados: melatonina, valeriana, difenidramina, clonazepam, zolpidem, entre outros.
- Para intestino irritável, usa-se loperamida em caso de diarreia e leite de magnésia ou outras substâncias que favoreçam a motilidade intestinal em caso de constipação.
- O pramipexol ajuda na síndrome das pernas inquietas.

24. A atenção nos sistemas públicos de saúde: fibromialgia e incapacidade laboral

Já apresentamos as dificuldades no diagnóstico e no tratamento da fibromialgia. A situação torna-se mais complicada nos sistemas encarregados de atender a um grande número de pacientes. Ainda que os sistemas públicos de saúde sejam diferentes entre os países latino-americanos, existem problemas comuns a todos. O principal talvez seja que todos estão saturados. O médico tem pouco tempo para atender à paciente e dar-lhe mais tempo em detrimento das pessoas na sala de espera. Essa doença produz muitos sintomas, por isso é preciso tempo para avaliá-los. Essa saturação e a consequente falta de tempo são uma fórmula garantida para a frustração, tanto do paciente como do médico.

Dizendo com clareza: muitos médicos são resistentes a tratar pacientes com fibromialgia, pela falta de tempo para abordar seus múltiplos sintomas, pela falta de conhecimento sobre os mecanismos que acarretam a doença e também pela resposta pobre aos medicamentos que se observa em muitos casos. Uma das grandes deficiências dos sistemas públicos de saúde é a pouca atenção a doenças tão frequentes e complexas como essa.

Estamos convencidos de que essa doença e outras semelhantes devem ser tratadas em clínicas especiais. O médico deve fazer o diagnóstico e, se for indicado, iniciar um tratamento com o medicamento adequado. Uma vez diagnosticada, a paciente deverá ser conduzida a um programa de tratamento integral em grupo, onde são oferecidas as diversas modalidades terapêuticas: explicação, dieta, fisioterapia, intervenções psicológicas e demais métodos discutidos nos capítulos anteriores. O médico deveria ficar disponível para resolver dúvidas, caso fosse necessário. Esse tipo de programa reduziria as listas de espera, e provavelmente seria mais eficiente e econômico. Insistir com a antiga prática só serve como terreno fértil para a frustração e o desencontro.

Outro ponto que não pode ser esquecido é a relação entre fibromialgia e trabalho. A dor, a fadiga e a neblina mental são sintomas que impactam negativamente as atividades rotineiras e também o âmbito profissional. Já comentamos que a gravidade dos sintomas da fibromialgia abarca um amplo espectro: de um lado, há pessoas que, uma vez conhecidas as causas dos desconfortos, podem levar uma vida praticamente normal; no outro extremo estão as pacientes que, pela gravidade de seus sintomas, se sentem incapazes de funcionar no trabalho e esperam que o sistema de previdência reconheça sua incapacidade laboral e lhes dê uma compensação econômica correspondente. As pesquisas controladas mostram que o grau de incapacidade das pacientes com fibromialgia é similar ao das que sofrem de artrite reumatoide.

É evidente que a meta primordial, tanto das pacientes como dos médicos, deve ser a melhora dos sintomas e não a obtenção de uma licença médica ou um atestado de invalidez. O atestado não é a solução, e sim um mal menor, já que a paciente continua sofrendo dos sintomas da fibromialgia. Com frequência, os pedidos de auxílio-doença ou aposentadoria por invalidez colocam as pacientes em uma situação perversa. O desejo primordial delas é melhorar, mas esses processos exigem que elas demonstrem a gravidade da doença.

No caso da dor crônica, os julgamentos desse tipo de pedido são especialmente difíceis porque não existe parâmetro objetivo para medir sua intensidade. A dor sempre será uma sensação subjetiva e particular, acompanhada de uma emoção negativa. Como mencionado anteriormente, o exame físico das pacientes com fibromialgia não revela danos à estrutura do corpo, e os exames de laboratório são normais; por isso, não há uma fórmula para embasar as alterações objetivas e definir quais pessoas podem ser consideradas incapazes.

Os estudos realizados nos países nórdicos desenvolvidos têm mostrado que, independentemente da doença subjacente, há um grupo determinado de pacientes que não consegue continuar trabalhando. Seu perfil é o seguinte: em geral são solteiras, têm menos anos de educação escolar, ganham menos com seu trabalho, têm idade mais avançada, fazem movimentos físicos repetitivos quando desenvolvem suas atividades e não têm flexibilidade para modificar o ambiente interno de trabalho.

Os especialistas norte-americanos em medicina do trabalho recomendam uma avaliação multidisciplinar da possível incapacidade laboral com a participação de médicos, psicólogos e terapeutas ocupacionais. Nessa avaliação é importante determinar a existência de vários fatores:

1. Fatores estressantes no ambiente de trabalho que possam ser modificados.
2. Incongruências óbvias entre as demandas profissionais e a capacidade das pacientes em cumpri-las.

3. Definir se a pessoa que não suporta a carga laboral sofre de depressão ou de outro transtorno psicológico que necessite ser tratado de modo específico.
4. Definir se a pessoa pode se beneficiar da concessão de uma licença médica temporária.
5. Analisar a possibilidade de a paciente ser recolocada no mercado de trabalho para desenvolver outra atividade.

As pacientes com fibromialgia têm direito à licença médica tanto quanto qualquer outra pessoa com uma doença crônica dolorosa. Do julgamento desses processos devem participar, além dos advogados que respondem pelos aspectos legais, médicos especialistas em doenças do trabalho e psicólogos. Deve-se partir da premissa de que os incômodos da fibromialgia são tão genuínos quanto os presentes em qualquer outra doença reumática, e, a partir disso, buscar uma boa solução. É recomendável equilibrar o ambiente de trabalho com as capacidades do indivíduo, sem perder de vista que a prioridade é a reabilitação da saúde da paciente.

Sinopse

› A saturação dos serviços públicos de saúde transforma-os em lugares ineficientes para tratar pacientes com doenças complexas como a fibromialgia.
› Os profissionais da saúde e as pacientes devem encontrar alternativas inovadoras. A terapia em grupo é uma delas.
› Os sintomas que a fibromialgia provoca dificultam a realização de atividades profissionais.

- Os julgamentos de incapacidade laboral devem partir da ideia de que os desconfortos de que a paciente reclama são genuínos.
- Existem soluções para a incapacidade laboral que requerem uma conciliação entre as limitações da paciente e certas modificações em seu ambiente de trabalho.

25. Tratamentos complementares e alternativos

A MEDICINA COMPLEMENTAR ou alternativa pode ser definida como um conjunto de procedimentos ou substâncias originados fora da medicina científica que ajuda a melhorar os sintomas das pacientes, mas não tem sua eficácia comprovada por pesquisas controladas.

É preciso diferenciar os tratamentos complementares ou alternativos do charlatanismo, do qual nos ocuparemos no próximo capítulo. Os tratamentos complementares ou alternativos merecem toda a atenção e respeito, pois muitos deles são úteis como parte do tratamento integral da fibromialgia.

A lista de tratamentos complementares é imensa. Mencionaremos os mais comuns e os que têm relação com a fibromialgia. Cabe destacar também se existem ou não pesquisas preliminares que avalizem sua eficácia. Por último, avaliaremos brevemente as vantagens e desvantagens desse tipo de tratamento.

Quiropraxia

É UMA ESCOLA FUNDADA em 1895 por Daniel David Palmer. Defende que a manipulação da coluna vertebral alivia a dor por conta da acomodação dos corpos vertebrais subluxados. Os quiropráticos têm realizado estudos acadêmicos específicos, e contam com órgãos colegiados de supervisão. Isso acontece, sobretudo, nos

Estados Unidos, onde se originou essa modalidade de tratamento. Existem evidências científicas que comprovam a efetividade das manipulações quiropráticas no tratamento da dor da parte baixa da coluna; no entanto, as pesquisas não revelam se as manipulações quiropráticas são efetivas na melhora da fibromialgia.

Acupuntura

É UMA PRÁTICA CHINESA venerável e milenar. Baseia-se na ideia de que existe uma força vital que corre através do corpo e influi em suas funções. Ter saúde significa que a energia flui sem obstruções, de maneira harmônica e equilibrada. Aqui entra, mais uma vez, o conceito de *yin* e *yang*, abordado no Capítulo 5. Já foi demonstrado que a aplicação da acupuntura eleva os níveis de endorfinas, os analgésicos naturais do corpo.

A acupuntura estimula pontos específicos do corpo, frequentemente localizados nos *meridianos*, que, segundo essa filosofia, são os canais que conduzem a energia. É interessante observar a coincidência entre a posição anatômica dos meridianos e a localização dos gânglios nervosos simpáticos. A efetividade da acupuntura já foi comprovada no alívio da náusea em pacientes que recebem quimioterapia. Também foi comprovado que é um bom analgésico. As pesquisas em fibromialgia mostram que é um método capaz de melhorar a dor em algumas pessoas.

Homeopatia

DESENVOLVIDA NO FIM DO século 18 por Hahnemann, baseia-se no postulado dos *similares*; ou seja, substâncias que causam um efeito indesejável em um sujeito sadio podem ajudar a pessoa doente, se utilizadas em uma quantidade mínima. A terapia consiste na administração de um produto (vegetal, mineral ou animal) que tenha sido diluído repetidas vezes. Um grupo específico de pesquisadores norte-americanos descobriu em um estudo controlado que certo composto homeopático (*verum LM*) diminuía mais a dor dos pacientes com fibromialgia do que o placebo dado ao grupo de controle.

Produtos naturais neutracêuticos

ENGLOBAM UM GRUPO MUITO grande de vitaminas, minerais, neurotransmissores, produtos animais – como cartilagem de tubarão – e outras substâncias naturais – como a glucosamina, a condroitina e a S-adenosil-metionina (SAM-e).

A glucosamina e a condroitina podem ter um efeito favorável em um tipo específico de artrite, a osteoartrite. Não há nenhuma razão para pensar que possam melhorar os sintomas da fibromialgia.

A SAM-e (S-adenosil-metionina) é um composto interessante. Sua fórmula provém da união da L-metionina com o trifosfato de adenosina (ATP). É capaz de intervir em diversos processos metabólicos. Tem propriedades analgésicas e antidepressivas. Uma pesquisa dinamarquesa com duplo cego mostrou que a SAM-e, em uma dose de 800 mg por dia, é mais eficaz do que o placebo na fibromialgia. Ela também é utilizada em casos de depressão.

Há vários produtos naturais que ainda não se mostraram diretamente eficientes em pacientes com fibromialgia, mas que tiveram ações benéficas nos sintomas que se apresentam com frequência nessa doença, como a insônia e a depressão.

A erva-de-são-joão (*Hypericum perforatum*) tem ação positiva sobre a depressão leve e provavelmente também sobre a fadiga. O malato de magnésio pode ter algumas propriedades analgésicas. O *Ginkgo biloba* supostamente melhora a memória, mas sua ação é semelhante à da cafeína: ele agrava os estados de ansiedade, por isso não é recomendado na fibromialgia.

A coenzima Q10 é um agente antioxidante que favorece o trabalho eficiente das mitocôndrias. As mitocôndrias são as fábricas de energia das células. A deficiência grave da coenzima Q10 pode originar cansaço e dores. Níveis reduzidos dela têm sido descritos nas biópsias de pele de pacientes com fibromialgia. Não foi determinado se essa deficiência é a causa ou o efeito da doença. Um estudo controlado restrito mostrou um efeito benéfico da coenzima Q10 na fibromialgia.

Como se indicou anteriormente, a deficiência de vitamina D pode estar associada à fibromialgia. Entretanto, somente em casos de deficiência profunda, com níveis sanguíneos menores do que 10 nanogramas por mililitro, parece haver uma resposta à ingestão dessa vitamina.

A coenzima Q10 e a vitamina D compartilham histórias similares na medicina. Elas foram consideradas efetivas no tratamento de múltiplas doenças, mas essa eficácia foi comprovada em poucas delas. A coenzima Q10 é útil no tratamento de doenças musculares raras denominadas miopatias mitocondriais. O consumo de vitamina D, por sua vez, é benéfico nos casos de osteomalácia, também como parte do tratamento da osteoporose e em certas doenças do metabolismo do cálcio e do fósforo. Ainda que a ingestão de ambas as substâncias esteja livre de efeitos indesejáveis, por enquanto não se pode recomendar seu uso generalizado na fibromialgia.

O *tai chi* é uma prática chinesa que se originou das artes marciais. Consiste em movimentos rítmicos acompanhados de exercícios respiratórios e meditação. Existem cada vez mais evidências científicas que demonstram que o *tai chi* melhora os sintomas da fibromialgia. Por essa razão, a medicina ortodoxa começa a aceitar essa prática como parte de seu sistema terapêutico. Existem também estudos controlados que avaliam a efetividade da ioga.

Sobre a balneoterapia, existem evidências suficientes para afirmar que diversos tipos de hidroterapia, incluindo imersões em águas termais, ajudam a melhorar os sintomas da fibromialgia.

Com frequência, as pacientes sentem alívio com alguns tipos de massagem. No entanto, as técnicas utilizadas e os resultados alcançados pelos massagistas são muito heterogêneos. A hipnose também tem se mostrado útil em alguns casos. Em contraste, o uso de ímãs não teve sua eficácia verificada.

A atração da medicina complementar e alternativa: prós e contras

ALÉM DO VALOR INTRÍNSECO dos métodos complementares, existem outras razões que fazem muitas pessoas se sentir atraídas por esse tipo de tratamento. Algumas delas são resultantes das deficiências da medicina ortodoxa, como a atitude paternalista e o pouco tempo que o médico dedica ao paciente, ou mesmo os efeitos colaterais e indesejáveis dos medicamentos, assim como seu alto custo, problemas mais evidentes quando o tratamento é administrado por períodos prolongados. Além disso, a sociedade, em geral, tem expectativas cada vez mais altas em relação à qualidade e à quantidade da vida produtiva.

É claro que os tratamentos complementares também têm seu lado obscuro e até arriscado. Em muitos casos, a melhora não é decorrente da ingestão do composto ativo da substância, e sim do efeito placebo que ela induz, como explicado no Capítulo 4. A rígida supervisão que se exerce sobre a prática da medicina ortodoxa não existe na medicina complementar. Por isso há uma proliferação de verdadeiros enganadores que se autodenominam *doutores* em diversas atividades, como na homeopatia, na acupuntura ou na *naturopatia*, entre muitas outras.

Sabe-se que os efeitos benéficos dos tratamentos complementares são parciais e específicos para certos tipos de problemas que envolvem dor; entretanto, é frequente observar que certas práticas complementares querem utilizar seu método como uma verdadeira *panaceia*, com o argumento de que são efetivas no tratamento de todo tipo de doença.

Não há um controle estrito de qualidade nos produtos naturais; por isso, não se pode confiar na pureza deles. Em um estudo feito nos Estados Unidos, comprovou-se que 12% das preparações que se vendiam como ginseng não tinham esse composto, e que, nos lotes que o continham, a concentração da substância variava amplamente e não correspondia ao que era mostrado nas etiquetas das embalagens.

Outra deficiência da medicina complementar é a escassez de estudos sérios que corroborem sua eficácia, de maneira que aderir a determinado tipo de tratamento é um ato mais emocional do que racional.

Há um fenômeno evidente em muitos tipos de tratamento alternativo: o constante olhar para o passado. Isso é claro na homeopatia, na quiropraxia e na acupuntura, nas quais os princípios dos tratamentos são muito similares aos promulgados anos ou séculos atrás. Sabemos que não existe nenhuma ciência ou tratamento perfeitos, e que a solução das doenças resulta do avanço progressivo do conhecimento e não da prática estática e nostálgica de ritos terapêuticos antigos.

Sinopse

- Os métodos complementares ou alternativos merecem ser levados em conta no tratamento da fibromialgia.
- A acupuntura, a SAM-e, a coenzima Q10, a vitamina D, a erva-de-são-joão e o maleato de magnésio, entre outros, podem ser úteis.
- O *tai chi*, a ioga e a balneoterapia têm demonstrado efetividade.
- Os métodos complementares têm seu lado obscuro. Não existe supervisão adequada sobre pessoas que se autointitulam *doutoras*, nem sobre os remédios que elas prescrevem.

26. O charlatão

O CHARLATÃO É um personagem carismático, mas sinistro, que acompanha as doenças em toda a história da medicina. Pode ser definido como um sujeito que se orgulha de ter um remédio (geralmente a cura total) para algum dos múltiplos sofrimentos crônicos. O curioso é que, em muitos casos, o charlatão não é um mentiroso contumaz, e sim uma pessoa com pouco senso crítico sobre a realidade e ignorante da tremenda complexidade das doenças crônicas. Em algumas ocasiões, possui uma personalidade sociopata; é sedutor em sua forma de agir, simpático, veemente, transmite segurança em suas afirmações, mas carece de escrúpulos e não se preocupa nem com suas óbvias limitações como terapeuta nem com a perspectiva de estar enganando os indivíduos mais vulneráveis da sociedade, os doentes crônicos.

O charlatão tem um perfil suficientemente definido para ser reconhecido, independentemente do fato de, supostamente, ter a cura do câncer, da artrite ou da fibromialgia. De maneira geral, essa pessoa não tem treinamento formal na área da doença. Muitas vezes, nem sequer é médico. Faz suas "descobertas" sozinho, e sem uma base científica coerente. Seus pseudoargumentos estão cheios de jargões médicos, mas suas abordagens não resistem a um escrutínio científico elementar.

Esse tipo de curandeiro não se conforma em dar uma contribuição para o avanço do conhecimento sobre alguma doença, mas de forma abrupta descobre a cura, a solução completa para doenças de extrema complexidade. Ignora o fato de que o conhecimento é uma progressão ordenada de ideias e não pode se dar nem por saltos nem por geração espontânea. É impossível começar a construir um edifício pelo último andar, sem antes ter preparado suas fundações.

Com frequência, uma conjuntura casual é a origem de sua descoberta genial. As evidências de cura (ou melhora) da doença nunca se baseiam em estudos controlados, mas sempre em casos: fulano de tal tinha câncer terminal, estava sem esperanças e, ao se submeter ao meu tratamento, se curou. Fulano de tal até pode existir, mas provavelmente nunca teve a doença terminal de que foi curado. O depoimento de uma pessoa específica é um gancho habitual para capturar as vítimas. Quando se pergunta onde está a legião de pacientes que, segundo ele, foi curada pelo seu método maravilhoso, o charlatão responde que eles ficaram tão contentes que não querem mais saber de seu passado marcado pelo sofrimento.

O charlatão não conhece limites; em seu desvario, é capaz de assegurar que sua poção maravilhosa não só cura a fibromialgia, como também a osteoartrite (enfermidades totalmente diferentes) e todo tipo de doenças reumáticas, o que transforma seu remédio em uma verdadeira panaceia.

O *xamã* que "cura" doenças reumáticas desconhece a existência de seu melhor aliado: o efeito placebo. Ignora o fato de que qualquer analgésico considerado efetivo deve aliviar mais de 30% das pessoas que o tomam (veja o Capítulo 4).

A história de Davi e Golias encanta o charlatão. Ele argumenta que a razão pela qual sua descoberta maravilhosa não tem aplicação universal envolve os interesses econômicos das indústrias farmacêuticas, que conspiram contra ele. Afirma que a divulgação de seu achado as levaria à ruína. Entretanto, não se espanta com seu próprio lucro, derivado da venda de seu produto mágico.

A história comum desse tipo de curandeiro é a mesma das dançarinas de cabaré. Têm seu período de fama, para depois ser ignoradas e substituídas por outra pessoa com truques mais inovadores e atitudes mais sedutoras. Que difícil deve ser para o charlatão contrair uma doença crônica e superá-la, sabendo que no passado abusou da situação vulnerável na qual agora se encontra!

Existem vários motivos que explicam a atração dos pacientes pelos charlatões. O principal é o desespero por conta de seu estado de saúde, que os leva a provar qualquer remédio para conseguir se sentir melhor. Também é preciso acrescentar certa dose de ingenuidade e falta de cultura para acreditar em uma solução que não tem nenhuma base razoável. Por trás dessa ingenuidade existe algo de irresponsabilidade. É mais fácil acreditar às cegas que um produto maravilhoso produzirá a cura total da doença do que se submeter a um tratamento que requer esforço constante e mudança de estilo de vida.

Sob essa atração pelo irracional também subjaz uma tradição sociocultural peculiar. As sociedades latino-americanas sempre foram seduzidas por explicações mágicas da vida e suas circunstâncias. Por último, há um grupo pequeno de pessoas cuja atração pelo charlatanismo se sustenta na oposição ao sistema estabelecido. Rechaçam tudo que tenha relação com a autoridade, com a medicina ortodoxa, com a indústria farmacêutica e com as agências governamentais de saúde.

Nessa aldeia global em que vivemos, sofremos a massificação do charlatanismo pelos meios de comunicação. Um exemplo são as propagandas que apresentam todo tipo de remédios milagrosos para as mais variadas doenças.

O melhor recurso contra o charlatanismo é a informação. As tentativas das agências governamentais e dos colégios médicos de limitar a atuação do charlatão têm se mostrado ineficientes (a menos que a substância seja claramente tóxica). Essa iniciativa acaba dando armas ao curandeiro, mostrando que os poderosos interesses políticos e econômicos conspiram contra seu maravilhoso remédio. Também é inútil procurar convencer os seguidores incondicionais do falso tratamento feito por um guru. Diante da crença dogmática, não existe argumento científico.

Uma pessoa bem informada fará uma avaliação crítica dos supostos tratamentos maravilhosos e buscará conhecer a base teórica sobre a qual se fundamentam, assim como seu mecanismo de ação e as pesquisas que avalizem sua utilidade e segurança.

Sinopse

› O charlatão é e sempre será um acompanhante sinistro de todas as doenças crônicas.
› Ele se aproveita do desespero, da ingenuidade ou da ignorância dos pacientes.
› Os melhores recursos contra o charlatanismo são a informação e uma atitude crítica diante dos tratamentos supostamente maravilhosos.

27. Conclusão

Nos últimos anos, fomos testemunhas de uma verdadeira revolução no reconhecimento e no entendimento da fibromialgia. É preciso destacar o esforço das pacientes nessa empreitada. Em várias partes do mundo surgiram associações de doentes que têm ajudado a disseminar a problemática dessa doença. A maioria desses grupos de apoio tem muito mais do que um caráter reivindicativo, sendo uma fonte fidedigna de informação e de apoio a seus congêneres.

A realidade da fibromialgia está derrubando os muros da ignorância e do ceticismo. Simplesmente, já não é possível ignorar uma condição que prejudica a qualidade de vida de um segmento tão importante da população.

Contamos agora com um marco teórico coerente para explicar as múltiplas manifestações da doença. Isso permite a formulação de um tratamento integral com alto grau de efetividade na maioria dos casos.

Ainda que seja arriscado e irresponsável tentar prever o futuro, podemos nos aventurar pelas seguintes possibilidades: a pesquisa científica demonstrará de maneira mais definitiva os mecanismos que predispõem, disparam e mantêm a fibromialgia. Esperamos que se comprovem nossas proposições de que a disfunção do sistema de resposta ao estresse está no epicentro desse mal e que a dor fibromiálgica tem origem neuropática.

A doença será reconhecida com mais frequência nos próximos anos por duas razões primordiais: tanto médicos como pacientes estão cada dia mais atentos a essa patologia, e as condições ambientais adversas que favorecem o desenvolvimento da doença não têm indícios de melhora. As alterações genéticas predisponentes serão mais bem definidas. A discussão bizantina sobre a fibromialgia ser física ou mental acabará, dando lugar a uma postura integral que aceite que a doença é real. Por meio de estudos genéticos será possível determinar quem corre o risco de desenvolver a doença, para então ser adotadas medidas preventivas. Essas medidas serão voltadas à manutenção do equilíbrio do nosso organismo antes que a dor crônica comece. Serão evitados os vícios derivados do estresse social da vida moderna, tais como a perda do ciclo harmônico dia/noite, as dietas bizarras e o desequilíbrio entre trabalho, repouso e exercício.

Diante de uma doença já instaurada, poderão ser definidas, no nível molecular, as conexões anormais íntimas que existem entre o sistema nervoso simpático e as vias centrais da dor. A partir disso, será possível desenvolver medicamentos específicos para romper essas conexões viciosas que prolongam o sofrimento. Enquanto a cura definitiva não for descoberta, os medicamentos, cada vez mais eficientes, continuarão sendo apenas uma peça no tratamento integral. A meta primordial do tratamento terá como objetivo harmonizar o funcionamento do nosso sistema de equilíbrio principal.

Todas essas projeções só serão alcançadas a partir de uma grande aliança entre pacientes, pesquisadores e autoridades sanitárias. Todos juntos, lado a lado, utilizando como ferramenta a pesquisa científica, romperão os paradigmas caducos. Esse é, precisamente, o esforço da pesquisa científica: acabar com o imobilismo e avançar para novos horizontes de conhecimento. Só assim será possível encontrar solução para esse importante problema de saúde da mulher contemporânea.

28. A fibromialgia na vida e na obra de Frida Kahlo

A MEXICANA FRIDA Kahlo (1907-1954) é, sem sombra de dúvida, uma das pintoras mais intensas e apaixonadas do século 20. A vida de Frida mudou de maneira dramática aos 18 anos de idade, quando sofreu um terrível acidente de trânsito. Um bonde bateu no ônibus em que ela estava. Frida sofreu múltiplas fraturas ósseas; entre elas, a das vértebras lombares. Um tubo metálico transpassou seu abdômen. Como consequência desse acidente, ela ficou de cama durante vários meses, engessada com um colete ortopédico. A partir de então, Frida passou a sofrer de uma dor intensa e generalizada e de uma fadiga constante; esses sintomas permaneceram com ela durante toda a sua vida.

Ao longo dos anos, diferentes diagnósticos foram formulados para tentar explicar seu problema, tais como tuberculose e sífilis, mas nenhum deles foi comprovado. Ela foi submetida a diversos tipos de tratamento, tanto com o uso de fármacos como pelo confinamento prolongado na cama, aprisionada por diversos tipos de colete. Também se submeteu a várias operações na coluna vertebral, no México e nos Estados Unidos. Nenhuma intervenção aliviou suas dores.

Frida começou a pintar durante os prolongados períodos de confinamento no colete de gesso. Utilizava um cavalete especialmente desenhado para pintar deitada. Foi colocado um espelho no dossel de sua cama para ela poder se olhar e assim criar seus autorretratos.

Frida descrevia suas pinturas como "a mais franca expressão do seu ser". Seus autorretratos são apaixonados. Sua temática: a dor e o sofrimento. Essas emoções estão dramaticamente inseridas em sua pintura a óleo *A coluna partida.*

Nossas pesquisas propõem que Frida sofria de fibromialgia pós-traumática. Esse diagnóstico explicaria a intensa dor crônica generalizada e também a fadiga persistente que ela sentia depois do seu terrível acidente. O diagnóstico de fibromialgia explica também a falta de resposta que teve aos tratamentos cirúrgicos. Como se destaca no Capítulo 6, a fibromialgia frequentemente aparece depois de um trauma físico.

No diário de Frida há um desenho que reforça nossa impressão diagnóstica. Feito a lápis, ele mostra a artista chorando. Onze flechas apontam para lugares específicos de seu corpo. Anos mais tarde, foi demonstrado que a maioria dos lugares assinalados nesse desenho de Frida eram, precisamente, os pontos diagnósticos da fibromialgia.

As pinturas de Frida comunicam dor e sofrimento, com conotações emocionais semelhantes às dos pacientes com fibromialgia para descrever sua doença.

29. Depoimento da dra. Raquel Paviotti Corcuera[I]

Sobre dores, cores, aromas e sabores

É POSSÍVEL QUE VOCÊ, leitor, queira ler este relato só a partir do subtítulo "A fibromialgia ameaça", um pouco mais adiante. Porém, esclareço que a parte que o precede foi escrita porque muitos terapeutas dizem que pacientes com fibromialgia são pessoas que tiveram uma vida particularmente sofrida. Por isso, decidi contar minha história. Acredito que todos nós temos vidas sofridas. Quem vai à luta sofre; do contrário, a saída seria ficar apático aos problemas do viver? Podemos ter certeza de que todo fibromiálgico "não foge à luta"!

Nasci em Villa Maria, estado de Córdoba, na República Argentina, alguns anos antes do fim da Segunda Guerra Mundial. Meus avós, tanto maternos quanto paternos, foram imigrantes ou filhos de imigrantes vindos da Itália, da região de Údine e do Piemonte, e chegaram de navio nas últimas décadas do século 19. Era uma época em que havia fome na Europa por causa da baixa produção das colheitas e, por isso, muitas famílias emigraram para as terras da América. Eram agricultores e artesãos. Nessa época, as referências eram as guerras, e eu escutava meu pai dizer como a vida tinha sido difícil em épocas de

I. Doutora em Física Nuclear e uma das fundadoras e atual coordenadora do Grupo de Estudo e Apoio ao Paciente com Fibromialgia de São José dos Campos (SP).

carestia. Lembro-me, em especial, de uma história sobre a falta de pneus para as bicicletas; a solução era amarrar panos velhos com arame para que a bicicleta pudesse rodar. Isso em 1935. As histórias eram assim, de muitas dificuldades, porém todas tinham soluções pessoais e locais. "Ora e labora" era o refrão da família. Meu avô paterno criou uma marcenaria para fabricação de janelas, portas e ataúdes. A maioria dos móveis ainda era importada em 1910.

Meu pai era torneiro mecânico e chegou a trabalhar na primeira fábrica Nestlé da região, pois a cidade estava em uma região agrícola e de criação de gado. Para espanto da minha mãe, ele não ficou muito tempo na fábrica que daria "segurança e assistência médica" para ele e a família com três filhas (minhas duas irmãs e eu). Ele preferiu continuar como autônomo, trabalhando com seu torno na garagem da nossa casa, pois entendia muito de como fundir metais para fabricar peças para os carros quebrados. Foi ele que me ensinou as primeiras lições de física, apesar de só ter estudado até a quarta série primária. Minha mãe tinha o primário completo, porém tinha lido muitos livros e nos contava as histórias de Marco Polo. Ela sabia de tudo: além da arte da cozinha internacional, pintava, bordava, costurava, tricotava e até cuidava dos livros de contabilidade da empresa dos meus tios, que ficavam ao lado da nossa casa. Para ela, a saúde das filhas era prioridade... *Come uma laranja, que tem vitamina "C", e cenoura, que tem vitamina "A" para os olhos. Nada de guloseimas, que só têm açúcar, são calorias vazias, não alimentam e tiram a saúde,* dizia ela.

A mulher tem de saber tudo sobre a casa e as crianças: lavar louça, limpar banheiros, costurar, tricotar, bordar, cozinhar, e tem de ter uma profissão para ganhar seu dinheirinho e comprar suas coisinhas. Assim ela nos aconselhava. A profissão que ela sonhava para nós era a de professora primária. E assim foi: as três filhas tiraram o "Diploma de Dona de Casa" e o "Diploma do Magistério". Ela não suspeitava que as filhas continuariam a estudar... Eu escolhi estudar física, e para isso foi necessário que me transladasse à cidade de Córdoba, onde estava a Universidade. Esse fato foi um drama: "Como uma filha de 18 anos sairia de casa e ficaria em outra cidade?!" Com ajuda do meu pai, que achou a ideia válida, terminei o doutorado na Escola de Física de Bariloche, com bolsa do governo.

Lembro-me ainda de como era bom voltar para casa nas férias, degustar as comidas da mamãe e logo depois passear pelo quintal para cheirar a laranjeira, o limoeiro e degustar as amoras, as romãs ou os figos. Já o galinheiro não cheirava tão bem! Levemos também em consideração que, na época, o lixo era enterrado no quintal, porque o lixeiro só levava os resíduos sólidos. Ah, que época de reciclagem e cuidado com o meio ambiente! Os plásticos não existiam ainda, telefone era só para pessoas muito ricas e a viagem para Buenos Aires era feita de trem – um sonho. Fizemos isso quando fomos receber de volta "minha tia rica" e seus filhos, que tinham feito um passeio pela Espanha, na década de 1950.

Lembro-me também, dessa época, que minha avó materna dizia que estava com dor. "Onde?", eu perguntava. Ela respondia: "Aqui, aqui e aqui e nas pernas". Ela se deitava, fazia algumas tarefas da casa e voltava a deitar. O frio perturbava-a muito e os médicos não conseguiam chegar a um diagnóstico. Falava-se de reumatismo. Ela ficou muito deprimida. Aplicaram-lhe eletrochoques duas vezes, o que não melhorou seu estado. Ela ficava cada dia mais tempo na cama e ninguém sabia o que fazer. Isso deixou a família muito triste. Trinta anos mais tarde, lembro que minha mãe também passou a sofrer de um mal-estar sem diagnóstico. Depois se diagnosticou Mal de Parkinson. Porém, a medicação não melhorava os sintomas, o estômago começou a ser prejudicado pela quantidade de medicamentos e ela passou a sofrer de dores e azia. Até que um dia, por causa de uma hemorragia gástrica, ela faleceu.

Depois de ter me casado com um colega que também estudava física nuclear em Bariloche, partimos para a França (1969), com bolsa do governo francês para estudar um tema de vanguarda na época: as Centrais Nucleares Rápidas para produção de energia. Foi na França, em Provença, que nasceram minhas duas filhas. Terminamos nossos doutorados e voltamos a Buenos Aires. A volta foi de navio, em 1974: doze dias de travessia do oceano. O navio fez uma escala no Rio de Janeiro, a "cidade maravilhosa" daquela época, e almoçamos na casa de um tio. Minha tia tinha feito um delicioso almoço com frutos do mar. O navio fez uma segunda escala no porto de Santos, onde nos encontramos com uma prima e bebemos pela primeira vez a deliciosa água de coco.

Chegamos a Buenos Aires e nos reintegramos a nosso trabalho. Era época de uma tremenda confusão política. Como consequência do turbilhão político-social e o estresse da readaptação do retorno ao país, meu casamento se desfez.

Jamais gostei de morar em cidades grandes e estava disposta a sair de Buenos Aires e voltar para a pequena Manosque, na Provença. Viajei para um congresso em Trieste, Itália, a fim de arranjar novo emprego em Manosque, mas não foi possível, pois precisavam de profissionais em Paris! Outra cidade grande! Com uma filha de 2 anos e outra de 6, eu não estava disposta a deixá-

-las o dia todo sozinhas. Queria almoçar com elas e tê-las mais perto do meu trabalho. Entre o pessoal que foi para Trieste, havia um grupo do Brasil que estava recrutando profissionais da minha área de pesquisa. Eles me ofereceram um contrato para trabalhar em São José dos Campos (SP). Foi assim que, em 1979, acabei adotando o Brasil como lugar de residência.

Por volta de 1984, uma dor desagradável no pescoço, do lado esquerdo, começou a me incomodar. Radiografias foram feitas e uma pequena patologia na coluna cervical, vértebras C6 e C7, foi encontrada. O médico, neurocirurgião, comunicou que não havia o que fazer, só tratamento com fisioterapia e analgésicos.

Quando minhas filhas estavam com 18 e 14 anos, fui com elas fazer pós-doutorado na Universidade do Tennessee, em Knoxville, EUA. As dores do pescoço pioraram, e o médico ortopedista que lá me atendeu também afirmou que não havia o que fazer; teria de me tratar com aspirinas, até sete por dia! Eu, sabiamente, só tomava duas nos piores dias. Passados dois anos, voltamos à nossa residência em São José dos Campos. A dor no pescoço continuava invicta, no mesmo lugar. O tratamento continuava sendo fisioterapia, e a aspirina foi substituída por paracetamol. Consultei o melhor médico de São Paulo, dr. José Knoplich, autor do livro *Viva bem com a coluna que você tem*. O título do livro diz tudo, ele não recomenda cirurgia. Acho que foi o melhor conselho que escutei na época.

A fibromialgia ameaça

Minhas filhas estavam quase terminando a faculdade quando a Agência Internacional de Energia Atômica, com sede em Viena, convidou-me a fazer parte de seu quadro de funcionários. Passei sete anos (1997-2004) trabalhando em Viena. Guardo muitas lembranças boas daquela época – entre elas a de fazer parte do grupo que ganhou o prêmio Nobel da Paz em 2005. Guardo também lembranças da dor no pescoço. O médico que consultei indicou infiltrações com injeções. A proposta não me pareceu nem um pouco atraente, pois pensei que seriam de cortisona. Não se tratava só de dor, eu também percebia que não conseguia relaxar, que estava com todos os músculos contraídos o tempo todo e não conseguia soltá-los. Sentia muita angústia, sem um motivo que a justificasse. Eu costumava fazer caminhadas uma vez por semana, mas não era o suficiente para minha vida sedentária, principalmente com o estresse que todo profissional de carreira se impõe!

A partir de 2001, notei que não dormia direito e acordava sem motivo até dez vezes por noite; dores estranhas começaram a aparecer na coluna lombar e nas pernas. As amigas austríacas diziam: "*Fibrositis, fibrositis!*"

Ainda morando e trabalhando em Viena, em 2003, fiz uma viagem de férias para São José dos Campos, para consultar os médicos da minha cidade. Marquei consulta com um neurologista, que diagnosticou "fibromialgia". Senti grande alívio ao saber o nome da doença que me afligia. Eu não sabia do que se tratava. Ele me receitou uma medicação (antidepressivo), que não resolveu nada; eu não me sentia deprimida. Fui também consultar uma odontóloga, que me indicou uma placa dentária para dormir. Isso aliviou muitíssimo minha dor no pescoço, e uso a placa até hoje.

Em 2004, encerrei minhas atividades em Viena e voltei para São José dos Campos, para poder tratar das minhas dores. Começa, então, a *via crucis* pela qual todos os fibromiálgicos passam.

Consultei vários médicos da minha cidade, e cada um passava uma medicação diferente, mas ninguém explicava nada e eu continuava sem entender a doença. Quem tem fibromialgia fala de dores porque não sabe expressar o que sente. A sensação é de estar à beira de um abismo constantemente, com a pele ardendo como se estivesse queimada; cada flexão dói, o estômago arde com a azia, a depressão se instala e o pânico assola a mente. Nunca sabemos se vamos dar conta do dia, do compromisso, da atenção devida à família, aos amigos etc. Percebemos que o que sentimos não corresponde ao momento que vivemos, e isso nos dá mais desespero ainda! Por que me sinto tão mal? Não se justifica o que se sente com a situação que se vive, sabemos disso. Temos consciência disso! O mal-estar sai do nosso controle! Que fazer? Que desespero!

E os médicos não conseguem explicar ao paciente o porquê desses sintomas. Vamos então consultar os renomeados médicos de São Paulo. Decepção atrás de decepção, medicamentos caros que pioram os sintomas e adicionam outros.

Certa vez, acordei de manhã e olhei pela janela. Acontecia um passeio de bicicletas. Os ciclistas iam aos pares, bem iguaizinhos. Que original, pensei, todos gêmeos. Como será que conseguiram juntar tantos gêmeos? Logo dirigi minha vista aos postes de luz para ver que eles também eram duplos! Então não tive dúvida, era a nova medicação que me causava visão dupla!

Era o ano de 2007, eu já estava aposentada e teria gostado de continuar em minha área de pesquisa, porém a fibromialgia me incomodava muito. Os médicos não ofereciam respostas que me deixassem satisfeita. Resolvi então me dedicar a estudar a literatura internacional sobre a fibromialgia. Comprei livros de vários países, e fui lendo artigos científicos. Eu queria entender a doença, pois é fácil entender diabetes, pressão alta, hepatite, pneumonia e outras. Porém, fibromialgia ninguém explicava! Como funciona?

Li mais de 40 livros, alguns dos quais estão citados no fim deste capítulo. Aprendi muito com minhas leituras, mas mesmo assim não estava satisfeita. Continuava sem entender como funcionava a fibromialgia. Logo depois, com minha psicóloga, formamos o Grupo de Estudo e Apoio ao Paciente com Fibromialgia, e nas reuniões passávamos ao grupo o que tínhamos lido e aprendido.

Como cientista, minha mente está acostumada a ver um problema e criar um modelo que se encaixe como solução. Era isso o que eu procurava nos livros e artigos científicos. Porém, a literatura era toda fragmentada, abordando os sintomas separadamente e não como parte da mesma doença. Não existia um paradigma (modelo de pensamento) que se encaixasse como resposta ao que as pessoas do grupo e eu sentíamos e relatávamos em nossos encontros.

Finalmente deparei com o livro *Fibromialgia – El dolor incomprendido*, do dr. Manuel Martínez-Lavín. Depois de tê-lo lido, pensei: "Pronto! Eis aqui o paradigma que procurava!" Senti um tremendo alívio por ter encontrado uma explicação lógica para o que estava acontecendo comigo. A partir desse momento, tudo mudou.

Entendi que nosso corpo está suportando uma quantidade de estresse superior à sua capacidade. A carga alostática é excessiva e o corpo não consegue voltar ao seu equilíbrio (homeostases). Comecei então a criar um plano para "aliviar a carga", como se tirasse a carga de um navio para ele não afundar: reduzi ao mínimo possível a medicação; iniciei um regime alimentar que eliminava glúten, lactose, glutamato monossódico e aspartame; comecei a fazer psicoterapia para aliviar o estresse emocional, atividade física diária, alongamento (ioga, pilates), drenagem linfática e meditação.

Com esse plano, consegui recuperar 70% do meu equilíbrio. O mais importante foi entender a fibromialgia! Pois assim tenho mais noção de quando ela pode atacar, por que ataca, e assim me preparar para enfrentar as crises, ou evitar eventos e alimentos que possam desencadeá-las.

O Grupo hoje compartilha a abordagem da fibromialgia como apresentada pelo dr. Martínez-Lavín, na qual a doença é considerada uma disfunção do sistema nervoso autônomo (SNA), e a dor seria uma "dor neuropática mantida por hiperatividade simpática". Isso significa que nosso corpo está constantemente em alerta, ou seja, a função de "luta ou fuga" está sempre ativada, até quando dormimos. Por isso, o sistema parassimpático, o sistema do descanso e assimilação de nutrientes, não tem chance de funcionar. Ou seja, todas as funções do parassimpático estão prejudicadas, tais como sono, digestão, eliminação de sólidos e líquidos, reparação interna dos tecidos etc.

Nossas palestras apresentam essa abordagem, e os pacientes então entendem como funciona essa dor e sentem que têm mais controle sobre a doença. Aliás, uma de nossas frases favoritas é "Conhecimento também é tratamento".

O Grupo estuda a literatura acadêmica e de divulgação da América Latina, Europa e América do Norte e passa os conhecimentos e as conclusões para as pessoas com fibromialgia e seus familiares que frequentam as reuniões. É feita a tradução para o português de artigos importantes para os pacientes.

As reuniões do Grupo são educativas e de ajuda mútua, e os pacientes são estimulados a trocar informações entre si, para, assim, se beneficiar das experiências vivenciais de cada um. Parte importante dessa troca são as experiências com a dieta, segundo recomendações da dra. Gisela Savioli, em seu livro *Tudo posso, mas nem tudo me convém*. Também é dada ênfase à prática de exercícios, alongamento e meditação. Nesse caso, seguimos as instruções do dr. Roberto Cardoso em seu livro *Medicina e meditação*. Os encontros levantam questões como: aspectos emocionais da fibromialgia, alterações do sono, técnicas de relaxamento, papel da família, entre outros.

Sem dúvida, para nosso grupo a colocação da fibromialgia como uma disfunção do SNA foi fundamental para a compreensão da doença e, consequentemente, para ajudar a tomar decisões de tratamento não necessariamente medicamentoso. Também sentimos que ganhamos autonomia e menos dependência do médico. Por tudo isso, a criação do Grupo foi de muita ajuda e libertação, tanto para quem está na liderança como para as pessoas que nos procuram em busca de informação e apoio.

Referências bibliográficas

Em português

CARDOSO, R. *Medicina e meditação: um médico ensina a meditar*. São Paulo: MG Editores, 2011.

CHAITOW, L. *Síndrome da fibromialgia: um guia para o tratamento.* Barueri: Manole, 2002.

GOLDENBERG, E. *O coração sente, o corpo dói.* São Paulo: Atheneu, 2005.

HAMMERLY, M. *Fibromialgia.* São Paulo: Gaia, 2005.

KNOPLICH, J. *Fibromialgia: dor e fadiga.* São Caetano do Sul: Yendis, 2007.

WALLACE, D. J.; WALLACE, J. B. *Tudo sobre fibromialgia.* Rio de Janeiro: Imago, 2005.

Sobre alimentação

PÓVOA, H.; CALLEGARO, J.; AYER, L. *Nutrição cerebral.* Rio de Janeiro: Objetiva, 2005.

Savioli, G. *Tudo posso, mas nem tudo me convém.* São Paulo: Edições Loyola, 2012.

Em outras línguas

Brockley, A.; Urdiakes, K. *Fibromyalgia: the cause and the cure*. Spearfish: Nature Had It First, 2013.

Dantini, D. C. *The new fibromyalgia remedy.* Nebraska: Addicus Books, 2008.

Dryland, D.; List, L. *The fibromyalgia solution.* Nova York: Wellness Central, 2007.

Elrod, J. M. *Reversing fibromyalgia.* Pleasant Grove: Woodland, 2002.

Gómez, P. *Fibromialgia: cómo vencerla desde el cuerpo y la mente.* Barcelona: Integral, 2008.

Ingebretson, S. E. *FibroWHYalgia*. Anahein: NorseHorse Press, 2013.

Liptan, G. *Figuring out fibromyalgia.* Portland: Visceral Books, 2011.

Martínez-Lavín, M. *Fibromialgia: el dolor incomprendido.* Cidade do México: Aguilar, 2008.

______. *La ciencia y la clínica de la fibromialgia.* Cidade do México: Editorial Médica Panamericana, 2012.

Matallana, L.; Bradley, L. A. *The complete idiot's guide to fibromyalgia.* Nova York: Alpha Books, 2009.

Ostalecki, S. *Fibromyalgia: the complete guide from medical experts and patients.* Burlington: Jones & Bartlett Publishers, 2008.

Teitelbaum, J. *The fibromyalgia solution*. Nova York: Penguin, 2013.

Trock, D. H.; Chanberlain, F. *Healing fibromyalgia.* Hoboken: Wiley, 2007.

St. Amand, R. P.; Marek, C. C. *What your doctor may not tell you about fibromyalgia.* Nova York: Wellness Central, 2006.

Wallace, D. J.; Wallace, J. B. *Making sense of fibromyalgia*. 2. ed. Oxford: Oxford University Press, 2014.

Referências bibliográficas

Acasuso-Díaz, M.; Collantes-Estévez, E. "Joint hypermobility in patients with fibromyalgia syndrome". *Arthritis Care Res.*, v. 11, 1998, p. 39-42.

Arnold, L. M. *et al.* "Family study of fibromyalgia". *Arthritis Rheum.* v. 50, 2004, p. 944-52.

Benett, R. M. "Fibromyalgia and the disability dilemma. A new era in understanding a complex, multidimensional pain syndrome". *Arthritis Rheum.*, v. 39, 1996, p. 1627-34.

______. "Growth hormone deficiency in patients with fibromyalgia". *Curr. Rheumatol. Reports*, v. 4, 2002, p. 306-12.

Berman, B. M.; Gournelos, E.; Lewith, G. T. "Complementary and alternative medicine". In: Hochberg, M. C. (org.). *Rheumatol.*, 5. ed. Londres: Mosby, 2010, p. 505-16.

Branco, J. C. *et al.* "Prevalence of fibromyalgia: a survey in five European countries". *Semin. Arthritis Rheum.*, v. 39, 2010, p. 448-53.

Bunge, M. *La ciencia: su método y su filosofía.* México: Editorial Nueva Imagen, 2009.

Burckhardt, C. S. "Nonpharmacologic management strategies in fibromyalgia". *Rheum. Dis. Clin. North Am.*, v. 28, 2002, p. 291-304.

Carruthers, B. M. *et al.* "Myalgic encephalomyelitis: International Consensus Criteria". *J. Internal Med.*, v. 270, 2011, p. 327-38.

Capra, F. *La trama de la vida*. Barcelona: Anagrama, 1998.

Carson, J. W. *et al.* "A pilot randomized controlled trial of the Yoga of Awareness program in the management of fibromyalgia". *Pain*, v. 151, 2010, p. 530-39.

Cordero, M. D. *et al.* "Can Coenzyme Q10 Improve Clinical and Molecular Parameters in Fibromyalgia?" *Antioxid Redox Signal,* 2013.

Crofford, L. J.; Pillemer, S. R.; Kalogeras, K. T. "Hypothalamic-pituitary-adrenal axis perturbations in patients with fibromyalgia". *Arthritis Rheum.*, v. 37, 1994, p. 1583-92.

De Smet, P. "Herbal remedies". *New England Journal of Medicine*, v. 347, 2002, p. 2046-50.

Elenkov, I. J. *et al.* "The sympathetic nerve. An integrative interface between two supersystems: the brain and the immune system". *Pharmacol. Rev.*, v. 52, 2000, p. 595-38.

Fernández-Solá, J. *et al.* Síndrome de fatiga crónica e hipersensibilidad química múltiple tras exposición a insecticidas. *Med. Clin. (Barc)*, v. 124, 2005, p. 451-53.

Giovengo, S. L.; Russell, I. J.; Larson, A. A. "Increased concentrations of nerve growth factor in cerebrospinal fluid of patients with fibromyalgia". *J. Rheumatol.*, v. 26, 1999, p. 1564-69.

Glass, J. M. "Review of cognitive dysfunction in fibromyalgia: a convergence on working memory and attentional control impairments". *Rheum. Dis. Clin. North Am.*, v. 35, 2009, p. 299-311.

Goldberger, A. L. "Non-linear dynamics for clinicians: chaos theory, fractals, and complexity at the bedside". *Lancet.*, v. 347, 1996, p. 1312-14.

Goldenberg, D. L. "Fibromyalgia and related syndromes". In: Hochberg (org.). *Rheumatol.*, 5. ed. Londres: Mosby, 2010, p. 701-10.

Gracely, R. H.; Ambrose, K. R. "Neuroimaging of fibromyalgia". *Best Pract. Res. Clin. Rheumatol.*, v. 25, 2011, p. 271-84.

Gursoy, S.; Erdal, E.; Herken, H. "Significance of catechol-O-methyltransferase gene polymorphism in fibromyalgia syndrome". *Rheumatol. Int.*, v. 23, 2003, p. 104-7.

Hansson, P. T. *et al.* (eds.). *Neuropathic pain: Pathophysiology and Treatment*. Seattle: IASP Press, 2001.

Hernández-Lahoz, C.; Mauri-Capdevila, G.; Vega-Villar, J. "Neurogluten: patología neurológica por intolerancia al gluten". *Rev. Neurol.*, v. 53, 2011, p. 287-300.

Holdcraft, L. C.; Assefi, N.; Buchwald, D. "Complementary and alternative medicine in fibromyalgia and related syndromes". *Best Pract. Res. Clin. Rheumatol.*, v. 17, 2003, p. 667-83.

Holton, K. F.; Kindler, L. L.; Jones, K. D. "Potential dietary links to central sensitization in fibromyalgia: past reports and future directions". *Rheum. Dis. Clin. North Am.*, v. 35, 2009, p. 409-20.

INANICI, F.; YUNUS, M. B. "History of fibromyalgia: past to present". *Curr. Pain Headache Rep.*, v. 8, 2004, p. 369-78.

JONES, K. D.; LIPTAN, G. L. "Exercise interventions in fibromyalgia: clinical applications from the evidence". *Rheum. Dis. Clin. North Am.*, v. 35, 2009, p. 373-91.

KOOH, M. *et al.* "Concurrent heart rate variability and polysomnography analyses in patients with fibromyalgia". *Clin. Exp. Rheumatol.*, v. 21, 2003, p. 529-30.

LERMA, C. *et al.* "Nocturnal heart rate variability parameters as potential fibromyalgia biomarker. Correlation with symptoms severity". *Arthritis Res. Ther.*, v. 13, 2011, p. R185.

LERMA, C. *et al. Autonomic nervous system "decomplexification" in fibromyalgia. A proof of concept study looking at the fractality of heart rhythms.* [S.l.: s.n.], 2013. No prelo.

LIEDBERG, G. M.; HENRIKSSON, C. M. "Factors of importance for work disability in women with fibromyalgia: an interview study". *Arthritis Rheum.*, v. 47, 2002, p. 266-74.

MARTINEZ-LAVÍN, M. "Fibromyalgia when distress becomes (un)sympathetic Pain". *Pain Res. Treat.*, v. 2012, 2012. Artigo 981565.

______. "Is fibromyalgia a generalized reflex sympathetic dystrophy?". *Clin. Exp. Rheumatol.*, v. 19, 2001, p. 1-3.

______. "Overlap of fibromyalgia with other medical conditions". *Curr. Pain Headache Rep.*, v. 5, 2001, p. 347-50.

______. "A novel holistic explanation for the fibromyalgia enigma. Autonomic nervous system dysfunction". *Fibromyalgia Frontiers*, v. 10, 2002, p. 3-6.

______. "Autonomic nervous system in fibromyalgia". *J. Musculoesk. Pain*, v. 10, 2002, p. 221-28.

______. "Complex adaptive system allostasis in fibromyalgia". *Rheum. Dis. Clin. North Am.*, v. 35, 2009, p. 285-98.

______. "Fibromyalgia conundrum. Is scientific holism the answer?". *The Rheumatologist*, v. 2, 2008, p. 26-27.

______. "Management of dysautonomia in fibromyalgia". *Rheum. Dis. Clin. North Am.*, v. 28, 2002, p. 379-87.

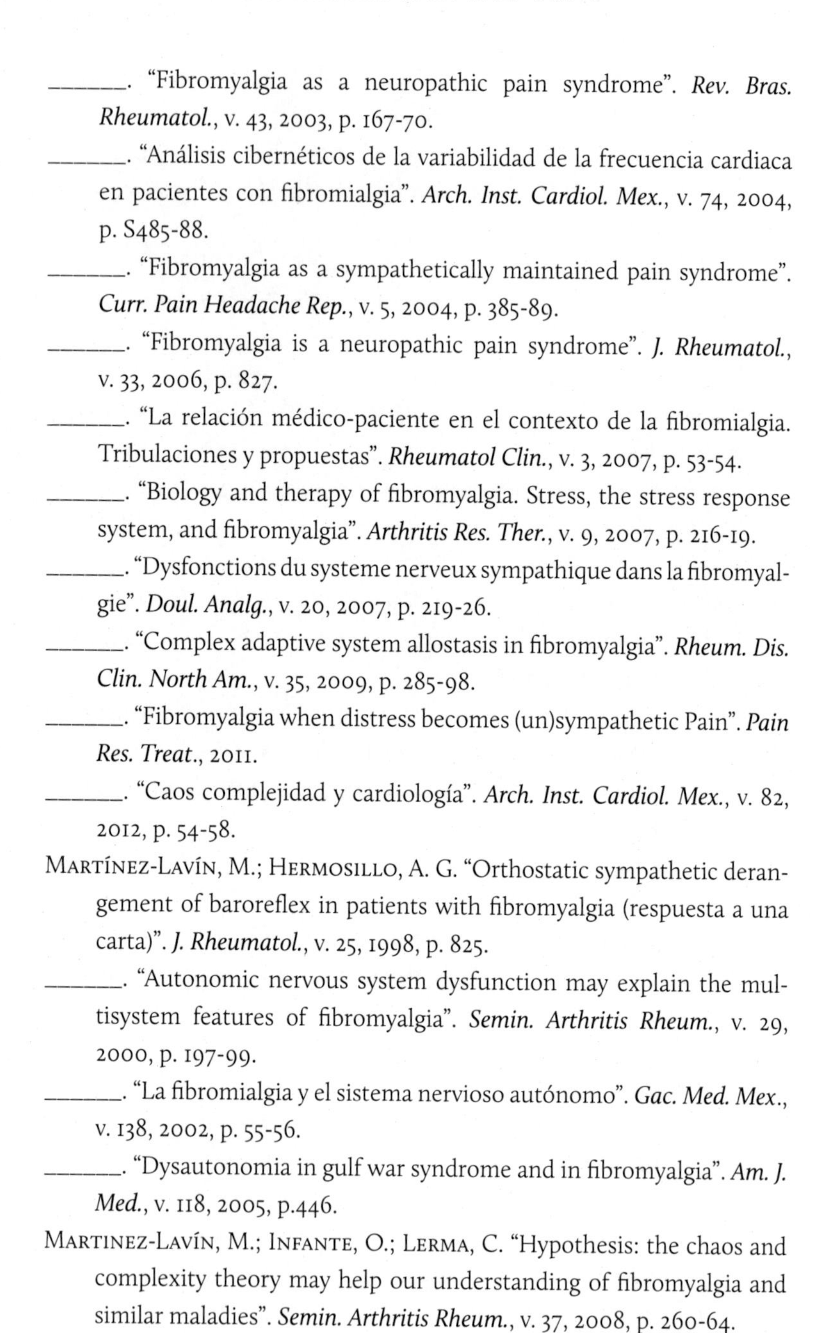

______. "Fibromyalgia as a neuropathic pain syndrome". *Rev. Bras. Rheumatol.*, v. 43, 2003, p. 167-70.

______. "Análisis cibernéticos de la variabilidad de la frecuencia cardiaca en pacientes con fibromialgia". *Arch. Inst. Cardiol. Mex.*, v. 74, 2004, p. S485-88.

______. "Fibromyalgia as a sympathetically maintained pain syndrome". *Curr. Pain Headache Rep.*, v. 5, 2004, p. 385-89.

______. "Fibromyalgia is a neuropathic pain syndrome". *J. Rheumatol.*, v. 33, 2006, p. 827.

______. "La relación médico-paciente en el contexto de la fibromialgia. Tribulaciones y propuestas". *Rheumatol Clin.*, v. 3, 2007, p. 53-54.

______. "Biology and therapy of fibromyalgia. Stress, the stress response system, and fibromyalgia". *Arthritis Res. Ther.*, v. 9, 2007, p. 216-19.

______. "Dysfonctions du systeme nerveux sympathique dans la fibromyalgie". *Doul. Analg.*, v. 20, 2007, p. 219-26.

______. "Complex adaptive system allostasis in fibromyalgia". *Rheum. Dis. Clin. North Am.*, v. 35, 2009, p. 285-98.

______. "Fibromyalgia when distress becomes (un)sympathetic Pain". *Pain Res. Treat.*, 2011.

______. "Caos complejidad y cardiología". *Arch. Inst. Cardiol. Mex.*, v. 82, 2012, p. 54-58.

Martínez-Lavín, M.; Hermosillo, A. G. "Orthostatic sympathetic derangement of baroreflex in patients with fibromyalgia (respuesta a una carta)". *J. Rheumatol.*, v. 25, 1998, p. 825.

______. "Autonomic nervous system dysfunction may explain the multisystem features of fibromyalgia". *Semin. Arthritis Rheum.*, v. 29, 2000, p. 197-99.

______. "La fibromialgia y el sistema nervioso autónomo". *Gac. Med. Mex.*, v. 138, 2002, p. 55-56.

______. "Dysautonomia in gulf war syndrome and in fibromyalgia". *Am. J. Med.*, v. 118, 2005, p.446.

Martinez-Lavín, M.; Infante, O.; Lerma, C. "Hypothesis: the chaos and complexity theory may help our understanding of fibromyalgia and similar maladies". *Semin. Arthritis Rheum.*, v. 37, 2008, p. 260-64.

Martinez-Lavín, M.; Solano, C. "Dorsal root ganglia sodium channels and fibromyalgia sympathetic pain". *Med. Hypotheses*, v. 72, 2009, p. 64-66.

Martínez-Lavín, M. *et al.* "Orthostatic sympathetic derangement in subjects with fibromyalgia". *J. Rheumatol.*, v. 24, 1997, p. 714-18.

Martínez-Lavín, M. *et al.* "Circadian studies of autonomic nervous balance in patients with fibromyalgia. A heart rate variability analysis". *Arthritis Rheum.*, v. 41, 1998, p. 1966-71.

Martínez-Lavín, M. *et al.* "The dysautonomia of fibromyalgia may simulate lupus". *J. Clin. Rheumatol.*, v. 5, 1999, p. 332-34.

Martínez-Lavín, M. *et al.* "Fibromyalgia in Frida Kahlo's life and art". *Arthritis Rheum.*, v. 43, 2000, p. 708-9.

Martínez-Lavín, M. *et al.* "The use of the Leeds Assessment of Neuropathic Symptoms and Signs (LANSS) questionnaire in fibromyalgia patients". *Semin. Arthritis Rheum.*, v. 32, 2003, p. 407-11.

Martínez-Lavín, M. *et al.* "Norepinephrine-evoked pain in fibromyalgia. A randomized pilot study ISCRTN 70707830". *BMC Musculoskeletal Disorders*, v. 3, 2002, p. 2. (16 jan. 2002).

Martínez-Lavín, M. *et al.* "The use of the Leeds Assessment of Neuropathic Symptoms and Signs (LANSS) questionnaire in fibromyalgia patients". *Semin. Arthritis Rheum.*, v. 32, 2003, p. 407-11.

Mas, A. J. *et al.* "EPISER Study Group. Prevalence and impact of fibromyalgia on function and quality of life in individuals from the general population: results from a nationwide study in Spain". *Clin. Exp. Rheumatol.*, v. 26, 2008, p. 519-26.

McLachlan, E. M. *et al.* "Peripheral nerve injury triggers noradrenergic sprouting within dorsal root ganglia". *Nature*, v. 363, 1993, p. 543-46.

McWhinney, I. R.; Epstein, R. M.; Freeman, T. R. "Rethinking somatization". *Ann. Intern. Med.*, v. 126, 1997, p. 747-50.

Mease, P. J.; Dundon, K.; Sarzi-Puttini, P. "Pharmacotherapy of fibromyalgia". *Best Pract. Res. Clin. Rheumatol.*, v. 25, 2011, p. 285-97.

Oaklander, A. L. *et al.* "Objective evidence that small-fiber polyneuropathy underlies some illnesses currently labeled as fibromyalgia". *Pain*, 5 jun. 2013. E-pub, ainda não publicado.

PERROT, S.; BOUHASSIRA, D.; FERMANIAN, J. "Cercle d'Etude de la Douleur en Rhumatologie. Development and validation of the Fibromyalgia Rapid Screening Tool (FiRST)". *Pain*, v. 150, 2010, p. 250-56.

RAMÍREZ-FERNÁNDEZ, M. et al. "Small fiber neuropathy in women with fibromyalgia. An in vivo assessment using confocal corneal bio-microscopy". 2014 (no prelo).

RASTELLI, A. L. *et al.* "Vitamin D and aromatase inhibitor-induced musculoskeletal symptoms (AIMSS): a phase II, double-blind, placebo-controlled, randomized trial". *Breast Cancer Res. Treat.*, v. 129, 2011, p. 107-16.

ROBERTSON, D. *Primer on the autonomic nervous system*. California: Academic press, 2011.

ROSKELL, N. S. *et al.* "A meta-analysis of pain response in the treatment of fibromyalgia". *Pain Pract.*, v. 11, 2011, p. 516-27.

SHARMA, V. "Deterministic chaos and fractal complexity in the dynamics of cardiovascular behavior: perspectives on a new frontier". *Open Cardiovasc. Med. Journal.*, v. 3, 2009, p. 110-23.

SMITH, H. S.; BRACKEN, D.; SMITH, J. M. "Pharmacotherapy for fibromyalgia". *Front Pharmacol.* v. 17, 2011.

SOLANO, C. *et al.* "Autonomic dysfunction in fibromyalgia assessed by the Composite Autonomic Symptoms Scale (COMPASS)". *J. Clin. Rheumatol.* v. 15, 2009, p. 172-77.

TAYLOR, A. G. *et al.* "A randomized, controlled, double-blind pilot study of the effects of cranial electrical stimulation on activity in brain pain processing regions in individuals with fibromyalgia". *Explore (NY)*, 2013.

TERHORST, L. *et al.* "Complementary and alternative medicine in the treatment of pain in fibromyalgia: a systematic review of randomized controlled trials". *J. Manipulative Physiol. Ther.*, v. 34, 2011, p. 483-96.

TURNER, J.; DEYO, R.; LOESSER, J. "The importance of placebo effects in pain treatment and research". *JAMA*, v. 271, 1994, p. 1609-14.

UCEYLER, N. *et al.* "Small fibre pathology in patients with fibromyalgia syndrome". *Brain*, 2013. Acesso antecipado publicado em 9 mar. 2013.

VAEROY, N. *et al.* "Elevated CSF levels of substance P and high incidence of Raynaud phenomenon in patients with fibromyalgia: new features for diagnosis". *Pain*, v. 32, 1998, p. 21-26.

VALDÉS, M. *et al.* "Increased glutamate/glutamine compounds in the brains of patients with fibromyalgia: a magnetic resonance spectroscopy study". *Arthritis Rheum.*, v. 62, 2010, p. 1829-36.

VANDENKERKHOF, E. G. *et al.* "Diet, lifestyle and chronic widespread pain: results from the 1958 British Birth Cohort Study". *Pain Res. Manag.*, v. 16, 2011, p. 87-92.

VARGAS, A. *et al.* "Sphygomanometry-evoked allodynia a simple bedside test indicative of fibromyalgia". *J. Clin. Rheumatol.*, v. 12, 2006, p. 272.

VARGAS-ALARCON, G. *et al.* "Catechol-O-Methyl Transferase (COMT) gene haplotypes in Mexican and Spaniard patients with fibromyalgia". *Arthritis Res. Ther.*, v. 9, n. 5, 26 out. 2007, p. R110.

VARGAS-ALARCÓN, G. *et al.* "Association of adrenergic receptor gene polymorphisms with different fibromyalgia syndrome domains". *Arthritis Rheum.*, v. 60, 2009, p. 2169-73.

VARGAS-ALARCON, G. *et al.* "A SCN9A gene-encoded dorsal root ganglia sodium channel polymorphism associated with severe fibromyalgia". *BMC Musculoesk. Dis.*, 2012.

WANG, C. *et al.* "A randomized trial of tai chi for fibromyalgia". *N. Engl. J. Med.*, v. 363, 2010, p. 743-54.

WILLIAMS, D. A.; GRACELY, L. H. "Biology and therapy of fibromyalgia. Functional magnetic resonance imaging findings in fibromyalgia". *Arthritis Res. Ther.*, n. 8, p. 224-28.

WILSON, T.; HOLT, T.; GREENHALGH, T. "Complexity science: Complexity and clinical care". *BMJ*, v. 323, 2001, p. 685-88.

WOLFE, F. *et al.* "The American College of Rhematology 1990 criteria for the classification of fibromyalgia: Report of the Multicenter Criteria Committee". *Arthritis Rheum.*, v. 33, 1990, p. 160-71.

WOLFE, F. *et al.* "The American College of Rheumatology preliminary diagnostic criteria for fibromyalgia and measurement of symptom severity". *Arthritis Care Res. (Hoboken)*, v. 62, 2010, p. 600-10.

WOOLF, C. J. "Pain: moving from symptom control toward mechanism-specific pharmacologic management". *Ann. Intern. Med.*, v. 140, 2004, p. 441-51.

www.gruposummus.com.br